Diogenes Taschenbuch 20814

de
te
be

Georges Simenon

Die Überlebenden
der Télémaque

Roman
Deutsch von
Hainer Kober

Diogenes

Titel der Originalausgabe:
›Les rescapés du Télémaque‹
Copyright © 1938 by Georges Simenon
Die deutsche Erstausgabe erschien
unter dem Titel ›Die Geretteten
der Telemach‹.
Umschlagfoto von Michel Guillard
Copyright © Michel Guillard/Agence
SCOPE, Paris

Gleiche Ursachen haben gleiche Wirkungen. So zeigt sich im Hafen, ehe ein Schiff einläuft, unvermeidlich eine gewisse Unruhe, auch wenn es sich, wie im vorliegenden Fall, nur um einen zum Heringsfang ausgerüsteten Fischdampfer aus Fécamp handelt.

Es wäre also nicht der Mühe wert, davon zu berichten, wenn dieses Mal nicht eine Kleinigkeit anders gewesen wäre.

Selbstverständlich wußte man von der Ankunft der »Centaure« schon, bevor sie noch am Horizont erschienen war. Es war noch nicht recht Tag, Nacht aber auch nicht mehr. Das Schiff draußen in der Dünung trug das in der Dämmerung verblassende Signallicht an seiner Mastspitze durch den Morgen. Und hinter den noch geschlossenen Fensterläden des Café de l'Amiral brannten die Lampen; Tische und Stühle waren aufgestapelt, auf den Fliesen stand ein schwärzlicher Eimer.

»Beeil dich! Die ›Centaure‹ ist in einer knappen Stunde hier«, sagte Jules, der Wirt, zu Babette, der Serviererin.

Babette lag auf den Knien und fuhr mit einem schmutzverklebten Scheuerlappen über den Boden, wobei ihr ständig die Holzschuhe von den Füßen rutschten. Unter der feuchten Schürze zeichneten sich ihre schmalen Hüften ab.

Monsieur Pissart, der Reeder, dessen Haus dort an der Uferstraße gegenüber den ersten Waggons zu sehen war, war bereits gewaschen, rasiert und angekleidet. Während er letzte Hand an seine Krawatte legte, trat er in das Eßzimmer, wo ein Mädchen, das ebenso jung war wie Babette, aber brünett wie eine Backpflaume, während die andere rothaarig war, das Gedeck auf eine Tischdecke voller Rotweinflecken legte.

Vielleicht war der Tag auch schon angebrochen, und man würde die Lampen den ganzen Tag anlassen müssen? So war es am Vortag gewesen, abgesehen von einem gelblichen Aufklaren gegen elf Uhr vormittags.

Auch hätte man nicht sagen können, ob Pflaster und Rücken vom Regen naß wurden oder vom Gischt der Wogen, die sich unten auf dem Geröll mit dem eintönigen Grollen von Geschützfeuer brachen.

Das machte weiter nichts! Es war das Wetter, auf das man sich bei dieser Jahreszeit gefaßt zu machen hatte. Frauen eilten in die Geschäfte, Frauen, deren Männer bald zurück sein würden, und die Geschäftsleute wußten, daß dann die Rechnungen für die letzten vierzehn Tage beglichen werden würden.

All das waren, wie gesagt, alltägliche Begleiterscheinungen bei Ankunft eines Schiffes: die verschlafenen Arbeiterinnen, die ihre Karren zum Kai schoben, wo sie in einer Stunde den Hering abladen würden, und Jules, der Wirt vom Café de l'Amiral, der sich die erste Tasse aus der Kaffeemaschine zapfte, während Babette, die Haare im Gesicht, Tische und Stühle aufstellte.

Nur daß sich dieses Mal, anders als sonst, vier Männer im Hotel Normandie befanden, wo gewöhnlich Handelsreisende abstiegen. Diese vier aber waren keine Vertreter. Während sie ihre Hörnchen aßen, hielten sie unablässig Ausschau nach dem Schiff.

Schwer läßt sich sagen, wann genau eine Stadt erwacht. Es dauerte nur ein paar Augenblicke. Waggons fuhren auf den Kais, Züge pfiffen auf dem Bahnhof, Autos hupten an den Straßenecken, und plötzlich war zwischen den Pfählen der Mole der schwarze Umriß der »Centaure« zu sehen.

Monsieur Pissart, der Reeder, stand an der Molenspitze, nahe der Hafeneinfahrt. Er trug Lackschuhe, schwarze Ledergamaschen und einen dunklen Überzieher. Man hatte ihn mit niemandem sprechen sehen, und doch wußten alle, daß er die »Centaure« bei der nächsten Flut wieder auslaufen lassen wollte.

Man unterhielt sich darüber bei Jules, wo Babette inzwischen ihre Schürze abgelegt und ihre Haare vor dem Spiegel in Ordnung gebracht hatte und wo sich der Duft von Kaffee mit Schnaps auszubreiten begann.

»Werden nicht wieder auslaufen wollen!« meinte Jules, der ein dickes Radsporttrikot trug.

Die Zeitungen berichteten von einem griechischen Dampfer, der in der Nordsee gesunken war, und von einem Kohlenfrachter, der vor La Pallice in Seenot geraten war. Die »Bremen« war mit einem Tag Verspätung in New York eingetroffen.

Der Seegang war so mächtig, daß die »Centaure« während des Einlaufens manchmal verschwand, um gleich darauf so hoch zu steigen, daß es den Anschein hatte, sie werde auf die Stadt geschleudert.

Die vier Männer vom Hotel Normandie standen da

und hatten die Hände in den Taschen, da es kalt war. Sie wirkten wie Leute, die sich nicht auskennen und beobachten, wie ein Schiff anlegt. Vielleicht auch erweckten sie mit ihren weichen Hüten und ihren Gabardinemänteln doch den Eindruck von Handelsvertretern.

An Bord und an Land begann man sich mit Taschentüchern zuzuwinken. Der Fischdampfer manövrierte. Eine Frau ohne Kopfbedeckung fragte einen jungen Mann in Eisenbahnerkleidung:

»Will er sie wirklich mit der Flut wieder auslaufen lassen?«

Monsieur Pissart stand immer noch allein in der Menge, allein mit seiner kalten Zigarre, an der er den ganzen Tag sog, weil der Arzt ihm das Rauchen verboten hatte.

Ein Tau klatschte auf die nassen Steine des Kais. Der Fischgeruch wurde stärker, und die vier Männer, die fremd waren, machten jetzt Anstalten, sich ganz nach vorne zu drängen.

Während die Mannschaft das Schiff vertäute, kletterte Monsieur Pissart, wie er es jedesmal machte, über die Reling, ohne darauf zu achten, ob er sich schmutzig machte. Er trat zu Pierre Canut, seinem Kapitän, der gelbes Ölzeug und Gummistiefel wie die anderen trug.

Eine Frau rief ihrem an Deck beschäftigten Mann zu:

»... will euch mit der Flut wieder auslaufen lassen...«

»... keine Angst!« kam es zurück.

Das alte Lied. War der Fang gut, wie in diesem Fall – die Nachricht war über Funk gekommen –, wollte der

Reeder keinen Tag, keine Flut verlieren. Dann sah man die Männer, die zehn oder zwölf Tage auf See verbracht hatten, durch die Stadt eilen, ohne daß sie auch nur die Zeit gehabt hätten, sich vorher umzuziehen. Wer auf den Dörfern wohnte, in Loges, Benouville, Vauxcottes, hatte noch nicht einmal Gelegenheit, Frau und Kinder zu umarmen. Sie gingen zum Metzger, zum Gemüsehändler, hasteten durch die Straßen, beladen mit Vorräten für weitere zehn oder zwölf Tage.

»... laßt euch das nicht gefallen!«

Und als Canut an Deck mit Monsieur Pissart sprach, rief ihm eine mutigere Stimme zu:

»He, Pierre, laß dich nicht einwickeln! ... Zeig's ihm, Canut!«

Er hob seine hellen Augen, zeigte das ruhige Gesicht, das ihm immer eigen war, kratzte sich den Kopf, wie er es zu tun pflegte, wenn er vorhatte, entschieden aufzutreten. Doch blieb ihm nicht die Zeit, etwas zu sagen. Die vier Männer, die vier Fremden, auf die niemand achtete, waren an Bord geklettert, wobei sie bedacht waren, sich ihre Kleidung nicht schmutzig zu machen. Sie sprachen mit Canut und dem Reeder. Die Gruppe war so seltsam, daß alle sie beobachteten und vergebens zu erraten versuchten, was dort vorging.

Canut war zuerst einen Schritt zurückgewichen, wie jemand, dem man auf die Zehen getreten ist. Seine erste Reaktion war immer lebhaft. Monsieur Pissart fuchtelte mit den Händen, und seine Zigarre wanderte von einem Mundwinkel in den anderen.

Dessenungeachtet tauchten die Heringsfässer aus den Laderäumen auf und stapelten sich auf den kleinen

Karren, während die Kohle lärmend ein Blech hinabpolterte.

»Was wollen sie von deinem Bruder?« fragte jemand den Mann in Eisenbahnerkleidung.

»Woher soll ich das wissen?«

Und Charles Canut wollte seinerseits an Bord klettern. Einer der vier Männer trat auf ihn zu.

»Sie können nicht aufs Schiff! In einer Minute...«

»Aber...!«

»Kein Aber!«

Das war noch nie passiert, weder daß Monsieur Pissart, der sich stets in der Gewalt hatte, am hellichten Tag vor allen Leuten gestikulierte, noch daß er plötzlich fortging und rief:

»Das werden wir ja sehen! Ich hole den Bürgermeister...«

Er drängte sich durch die Menge, wobei er unablässig vor sich hin murmelte.

Es dauerte fast eine Stunde, bis man erfuhr, worum es ging. Inzwischen sah man zwei der Fremden in Begleitung von Canut die Kajüte betreten, während die beiden anderen an Deck Wache hielten.

Als Canut wieder erschien, war für jedermann ersichtlich, daß er an Selbstsicherheit eingebüßt hatte. Er schien sogar, wie eine Frau sagte, seine Fassung verloren zu haben.

»Pierre!« rief sein Bruder ihm zu.

Der andere zuckte lediglich die Achseln, wie um zu zeigen, daß er das Ganze nicht begreife oder daß man da nichts machen könne.

Ein Auto hielt auf dem Kai. Es war Monsieur Pissart,

der seinen Wagen genommen hatte, um schneller zu sein. Er brachte den Bürgermeister und den Präsidenten der Reedervereinigung mit.

Wieder palaverten sie an Deck. Der korpulenteste der Fremden schien unablässig zu wiederholen:

»Ich kann nichts daran ändern! Ich habe meine Befehle...«

In diesem Augenblick drehte sich Monsieur Pissart, von dem man gewöhnlich kaum je ein Wort hörte, zur Menge herum, wandte sich an jeden und niemanden, wandte sich an Fécamp, an die Welt von Meer und Fisch, wandte sich an alles, was nicht diese vier Fremden war, und rief erregt:

»Sie wollen Pierre Canut ins Gefängnis stecken!«

Es sah so aus, als würden die Dinge eine schlimme Wendung nehmen. Von überall her tauchten die Fischer der »Centaure« auf, kamen näher, bildeten einen Kreis, wurden zu einer bedrohlichen Masse aus gelbem Ölzeug und unrasierten Gesichtern.

»Meine Herren...« wollte der Kommissar beginnen.

»Ins Wasser!« schrie eine Frau.

Und Charles Canut, der Bruder, gab dem Mann, der ihn hindern wollte, an Bord zu klettern, einen Stoß, schlug um sich und rief:

»Was soll das heißen, Pierre?«

So war es schließlich Pierre, der am ruhigsten blieb. Er schien eher gelangweilt zu sein, kratzte sich unter der Mütze den Kopf, sah zu Boden, dann auf die Menschen um ihn her.

»Sie dürfen nicht verhindern, daß das Schiff wieder

ausläuft«, protestierte Monsieur Pissart. »Es ist kein anderer Kapitän in Fécamp verfügbar. Ich weiß nicht, ob Sie sich eine Vorstellung von dem Verlust machen können, der...«

Der Bürgermeister war besorgt. Er hätte gerne die Polizei informiert, für den Fall, daß die Situation in eine Schlägerei ausarten sollte.

»Ist es nicht möglich, nach einem Verhör...« versuchte er zu vermitteln.

»Bedaure. Ich habe den Befehl, Pierre Canut nach Rouen zu bringen und dem Untersuchungsrichter vorzuführen.«

»Und wenn ich für ihn bürgen würde?«

»Es tut mir leid, aber...«

Auf dem Kai wurde ein Murren laut.

»Pierre Canut«, ließ sich der Kommissar vernehmen, »ich wäre Ihnen in Ihrem eigenen Interesse verbunden, wenn Sie mir durch Ihr Verhalten meine Aufgabe nicht unnötig erschweren würden. Bei dem geringsten Zwischenfall wäre ich gezwungen...«

Was die anderen verblüffte, war, daß Canut sich nicht rührte, daß der Kommissar und die drei Inspektoren seine Faust noch nicht zu spüren bekommen hatten. Er wirkte desinteressiert, das war alles. Er trat von einem Bein aufs andere und betrachtete die Menge, als nähme er niemanden wahr.

Von überall her waren die Leute zusammengeströmt. Längs der »Centaure« standen zweihundert Neugierige, und Babette verfolgte das Schauspiel von der Schwelle aus, während Jules sich in die vorderste Reihe drängte.

»Ich schlage Ihnen vor, meine Herren, daß wir uns einen Augenblick ins Rathaus begeben, von wo ich selbst die Staatsanwaltschaft in Rouen anrufen kann...«

Es verlief dann doch noch recht glimpflich, insofern nämlich die kleine Gruppe von Bord gehen und die Menge durchqueren konnte, die ihr Platz machte. Allerdings setzte diese sich ihrerseits in Bewegung und gab der Gruppe das Geleit, als sie den Weg zum Rathaus einschlug.

Charles Canut folgte wie die anderen. Sein Bruder und er waren Zwillinge. Gemeinsam hatten sie mit der Seefahrt angefangen, aber Charles, dem seine Lunge zu schaffen machte, hatte sich einen weniger anstrengenden Beruf suchen müssen.

Zuvorderst ging Pierre Canut in Begleitung des Kommissars und der Inspektoren, die ihm keine Handschellen angelegt hatten. Der Reeder und die Amtspersonen waren wieder in den Wagen gestiegen, wo sie sich unterhielten.

»Und ich sage, daß Canut den alten Février nicht getötet hat. Ich behaupte, man hat kein Recht dazu, wenn ein Schiff im Begriff steht, wieder in See zu stechen...«

Als man zum Rathaus kam, stellte man überrascht fest, daß es schon zehn Uhr war. Die Zeit war rasch verstrichen. Von Zeit zu Zeit zog der Kommissar seine Uhr aus der Tasche.

»Ich versichere Ihnen, daß wir unbedingt mit dem Zug um elf Uhr dreizehn fortmüssen.«

Canut, die Kriminalbeamten, der Präsident der Reedervereinigung und Monsieur Pissart hatten sich in das Büro des Bürgermeisters gedrängt, dessen Polstertür sich vor der Nase von Charles Canut geschlossen hatte.

»Hallo! Geben Sie mir bitte die Staatsanwaltschaft in Rouen. Ja, es ist dringend!«

Auch hier brannten die Lampen, auch hierhin drang der Fischgestank, wie er ganz Fécamp bis in den letzten Winkel erfüllte.

»Nun sagen Sie selbst, Canut, haben Sie wirklich ...«

Der Bürgermeister sah ihn flehentlich an.

»Ich habe Monsieur Février nicht getötet«, sagte Pierre Canut mit aller Bestimmtheit.

»Warum hat man Sie dann festgenommen?«

»Keine Ahnung.«

Die Polizisten hatten es satt.

»Seien Sie versichert«, seufzte der Kommissar, »daß dieser Schritt erst nach reiflicher Überlegung beschlossen worden ist. Monsieur Laroche, der mit dieser Angelegenheit betraute Untersuchungsrichter, hat in genauer Kenntnis der Sachlage gehandelt.«

Obwohl die Fenster geschlossen waren, vernahm man die Menge draußen. Es war kein Lärm, kaum ein Murmeln. Die Leute waren ruhiger, als man hätte erwarten können. Nur ein kaum hörbares Füßescharren drang wie eine Drohung herein.

»Ich verstehe Ihren Standpunkt sehr gut, Herr Kommissar. Aber ich weiß auch, daß die Brüder Canut in Fécamp einen einwandfreien Ruf genießen, Pierre bei den Seeleuten, sein Bruder bei allen. Treten Sie einen Augenblick ans Fenster.«

Nicht mehr zweihundert waren es jetzt, sondern

fünfhundert, die Gesichter zu jenem Fenster emporge-
wandt, das sie alle kannten.

»Hallo!... ja... hier spricht der Bürgermeister von
Fécamp...« Und der Bürgermeister erklärte, in welch
unangenehmer Lage er sich befand.

»Ich versichere Ihnen, Herr Richter... Was sagen
Sie?... Auf Ehre und Gewissen, ich wiederhole Ihnen... Verzeihung!... Ich bitte Sie um Verzeihung...
Jawohl!... Entschuldigen Sie bitte mein Vorgehen, zu
dem ich mich gleicherweise durch mein Gewissen wie
durch die Sorge um das öffentliche Wohl gezwungen
sah...«

Das war einer seiner Lieblingssätze, und dieses Mal
brachte er ihn ganz aufrichtig vor.

»Ich habe verstanden... Sie können sich darauf
verlassen, daß ich alles Notwendige veranlasse.«

Er war verärgert, wütend, wollte sich aber vor diesen
Fremden ruhig zeigen, die eine ihm so sehr überlegene
Macht repräsentierten.

»In Ordnung, meine Herren! Ich überlasse Ihnen
also Ihren Gefangenen. Als höchster Beamter dieser
Stadt habe ich einige Maßnahmen zu treffen, um jede
Unruhe zu vermeiden. Deshalb werde ich vor dem
Haupteingang die Polizeikräfte zusammenziehen, über
die ich verfüge, während mein Privatwagen Sie in der
Seitengasse erwartet, wohin Sie einer meiner Angestell-
ten führen wird. Ich rate Ihnen, den Zug nicht in
Fécamp zu nehmen, sondern mit dem Wagen bis La
Bréauté zu fahren. Dort werden Sie ohne Schwierigkei-
ten den Schnellzug von Le Havre erreichen. Auf Wie-
dersehen, meine Herren. Canut, ich wünsche Ihnen

von ganzem Herzen viel Glück. Für Sie, Monsieur Pissart, kann ich leider nichts tun, und ich rate Ihnen, die Gemüter zu besänftigen, statt sie aufzuwiegeln...«

Es war vorbei. Pierre Canut war verhaftet.

Vielleicht war er der einzige, der sich dies nicht klarmachte. Seine Gleichgültigkeit verunsicherte jene, die ihn eben noch verteidigt hatten.

Wie sollte man auch glauben, daß ein kräftiger Bursche von dreiunddreißig Jahren, der als einer der besten Fischereikapitäne von Fécamp galt, nicht heftiger auf ein so dramatisches Ereignis reagierte?

Die anderen, deren Nerven zum Zerreißen gespannt waren, spürten trotz der Mauern die leisesten Bewegungen der Menge. Diese nahmen plötzlich so zu, daß der Bürgermeister ans Fenster stürzte, wo sich Kommissar Gentil zu ihm gesellte.

Sie sahen eine traurige Szene. Eine Frau in Schwarz von ungefähr fünfzig Jahren näherte sich den Neugierigen mit unsicherem Schritt. Verlegen machte man ihr Platz.

Sie sprach zu ihnen, ohne die Stimme zu heben, als ob sie zu sich selbst spräche. Sie wunderte sich nicht darüber, daß man um sie herum zurückwich. Daran war sie gewöhnt. Korrekt und würdig setzte sie ihren Weg wie eine Schlafwandlerin fort.

»Wer ist das?« flüsterte der Kommissar. Der Bürgermeister beugte sich zu ihm und antwortete sehr leise:

»Seine Mutter.«

Pierre Canut mußte es vernommen haben, denn er hob plötzlich den Kopf. Doch verzichtete er darauf, die vier Meter zurückzulegen, die ihn vom Fenster trennten, und runzelte lediglich die Stirn.

Indessen stürzte draußen Charles Canut seiner Mutter entgegen und zog sie in eine Seitenstraße, während sie in ihrem endlosen Monolog fortfuhr.

Der Bürgermeister beantwortete den fragenden Blick von Gentil, indem er sich mit dem Zeigefinger an die Stirn tippte. Dann wandten sich alle zur Tür, da ein Amtsdiener meldete, daß der Wagen in dem Seitengäßchen bereitstehe.

Nicht, daß der Kommissar stolz auf seine Handlungsweise gewesen wäre, aber er sah sich zu ihr gezwungen, vor allem angesichts der Tatsache, daß der Mann einen Meter achtzig maß und einen Brustumfang von einem Meter zehn hatte. Mit einer raschen Bewegung legte er ihm Handschellen an und murmelte:

»Die Vorschriften.«

Er hatte noch andere Entschuldigungen vorzubringen:

»Ohne diese Zwischenfälle hätte man Ihnen Zeit gelassen, sich umzuziehen, Wäsche mitzunehmen und Ihre persönlichen Sachen einzupacken. Aber Sie können sie sich ja nachschicken lassen.«

Der Chauffeur des Bürgermeisters saß am Steuer der Limousine, die zwischen den schwarzen Äckern dahinfuhr.

»Natürlich nur, wenn Sie nicht...« fuhr der Kommissar fort.

Natürlich nur, wenn Canut nicht am Abend wieder freigelassen würde. Niemand schien daran zu glauben, noch nicht einmal Canut, der weiter vor sich hin träumte.

Wie immer warteten Reisende in La Bréauté. Anfangs blieben die Handschellen unbemerkt, doch bald mußte die kleine Gruppe sich ganz ans Ende des Bahnsteigs begeben, um der Neugier zu entgehen, vor allem da das gelbe Ölzeug die Aufmerksamkeit auf sich zog.

Sie fanden kein leeres Abteil und mußten in Gesellschaft von zwei alten Herren reisen, die eine Stunde lang ihren Blick nicht von dem Gefangenen wenden konnten.

Lastendes Schweigen. Beschlagene Scheiben. Eine unerträgliche Hitze für einen Mann, der für den rauhen Wind des offenen Meeres angezogen war.

In Fécamp kam es fast zum offenen Aufruhr. Da nützte es auch nichts, daß der Bürgermeister persönlich versicherte, Canut sei durch das Seitengäßchen fortgebracht worden. Die Menge wuchs weiter an. Noch schlimmer wurde es, als jemand, der möglicherweise gar nichts wußte, erklärte, Monsieur Pissart habe nach Boulogne telefoniert und dringend einen Kapitän angefordert, der noch vor Einbruch der Nacht da sein werde.

Mittags drängten sich die Leute derart im Café de l'Amiral, daß man die Tische nicht mehr sah und nicht wußte, ob es stärker nach Fisch oder nach Schnaps roch. Babette, die blasser als gewöhnlich war, hatte rote Flecken im Gesicht, so viel hatte sie zu tun. Sie wand sich durch die Menge, bediente, räumte ab, während jeder sie neugierig beobachtete.

»Was sagt dein Verlobter dazu?« wurde sie manchmal gefragt.

Sie schüttelte den Kopf, wobei ihr jedesmal die Haarsträhnen ins sommersprossige Gesicht fielen.

Ihr Verlobter war Charles, der Bruder von Pierre Canut, der all seine Abende in einer Ecke des Cafés, unweit der Theke verbrachte, wo Babette sich zwischen zwei Bestellungen zu ihm setzte.

»Woher soll ich das wissen?« gab sie zur Antwort.

Man sah Ölzeug und städtische Kleidung, Seeleute, die im Begriff waren, an Bord zu gehen, und andere, die nicht im Heringsfang beschäftigt waren und die deshalb noch wochenlang an Land bleiben konnten.

»Ihr werdet euch doch nicht von einem Menschen aus Boulogne herumkommandieren lassen, oder?«

Sie prahlten! Sie legten feierliche Schwüre ab! Sie schlugen mit der Faust auf den Tisch und behaupteten, sie würden bis zur Freilassung von Canut sitzenbleiben.

Einige Frauen saßen bei ihren Männern. Es war verraucht und feucht; warme Ströme kamen vom Ofen her und ein eisiger Luftzug von der Tür, jedesmal wenn sie geöffnet wurde.

»Warum hätte Canut ihn töten sollen?«

Ein Schnaps nach dem anderen. Zuerst trank man einen »Kaffee mit«. Hatte man ihn zur Hälfte getrunken, ließ man sich einen weiteren Schnaps in das Glas gießen. War das Glas leer, aber noch warm, bestellte man noch einen Schnaps...

So wurden die Zungen von Glas zu Glas immer schwerfälliger, die Gemüter immer rührseliger.

»Wer zu behaupten wagt, daß Pierre nicht der anständigste Kapitän von Fécamp, also von ganz Frankreich...«

»Wir gehen nicht ohne ihn!«

»Abgemacht!«

»Wenn aber...«

»Warum haben wir ihnen nicht in die Fresse gehauen, als sie noch da waren?«

Ein Angestellter von Pissart kam, um mitzuteilen, daß der Mann aus Boulogne um zwei Uhr ankommen und daß die »Centaure« mit der Flut auslaufen werde.

Man schwor, sich zu weigern. Dann ging ein erster Matrose fort, um seine Einkäufe zu besorgen, dann ein zweiter, ein dritter. Schließlich hatte man Frau und Kinder!

»Er hat gesagt, er werde das Schiff stillegen, wenn es nicht heute noch auslaufe... Und was dann?«

»Canut hat nicht einmal versucht, sich zu verteidigen...«

»Und wenn er ihn nun getötet hätte...«

Dabei hatte es sich so heroisch angelassen. Der Bürgermeister selbst hatte für den Fall, daß die Sache schief laufen sollte, Polizeiverstärkung angefordert. Die eilig zusammengekommenen Reeder waren drauf und dran gewesen, Monsieur Pissart zu bitten, sein Schiff nicht auslaufen zu lassen.

Um vier Uhr aber, als es dunkel wurde und der Hafen nur noch aus weißen, roten und grünen Lichtpunkten im Sprühregen bestand, erhellte ein großer Scheinwerfer das Deck der »Centaure«, deren Ladeluken geschlossen wurden.

Die Männer im Amiral schütteten ein letztes Glas hinunter, bevor sie den Kai mit schweren Schritten überquerten.

»Hast du ihn gesehen?«

Es ging um den neuen Kapitän, den man nur flüchtig erblickt hatte. Man schwor sich, ihm zu zeigen, aus welchem Holz die Leute aus Fécamp geschnitzt seien.

Ein paar Frauen standen in dunklen Winkeln und blickten dem Schiff nach, wie es sich vom Ufer entfernte und von den ersten Wogen emporgehoben wurde.

Erst um Punkt fünf konnte Charles Canut die Güterabfertigung verlassen, auf der er arbeitete, und die Ecke bei Jules aufsuchen, in der er immer saß. Müde kam Babette heran:

»Was soll ich dir bringen?«

Denn um sie zu sehen, war er gezwungen, etwas zu trinken und die seltenen Augenblicke abzuwarten, wo sie niemanden zu bedienen brauchte und sich zu ihm setzen konnte.

Wie es ihm zustand, hatte Pierre zwei Schinkensandwiches und eine halbe Flasche Wein bekommen. Er wußte nicht, wo er war. Er wartete. Auch er mußte bis fünf Uhr warten, bevor er in einen schlecht beleuchteten, überheizten Raum geführt wurde, wo ein Herr an einem Mahagonischreibtisch saß und ihn höflich bat, Platz zu nehmen.

»Pierre Canut, dreiunddreißig Jahre, Sohn von Laurence Canut, geborene Picard, und von Pierre Canut, verstorben...«

Immer noch trug er die Handschellen, hatte sie aber

mittlerweile vergessen. An einem kleinen Tisch saß ein junger Mann und schien alles mitzuschreiben, was gesagt wurde.

Monsieur Laroche, der Richter, war ein Mann von höchstens fünfundvierzig Jahren, mit einem kleinen Kinnbart, wie ihn die Helden von Jules Verne tragen, und machte auch jenen ehrlichen und äußerst rechtschaffenen Eindruck, der diese Helden auszeichnet.

Der Raum wurde lediglich durch eine Schirmlampe erleuchtet, die sich auf dem Schreibtisch befand und deren Licht auf eine dicke Akte fiel, in der der Richter blätterte.

»Pierre Canut, ich nehme an, daß Sie sich darüber im klaren sind, welch schwere Anschuldigungen gegen Sie erhoben werden. Aus eben diesem Grunde habe ich beschlossen, Sie heute nur zu Ihrer Person zu befragen. Sobald Sie einen Anwalt gewählt haben...«

»Ich brauche keinen Anwalt«, erwiderte Canut ruhig.

»Es tut mir leid, doch das Gesetz zwingt mich, auf der Anwesenheit eines Anwalts zu bestehen.«

»Wenn ich doch nichts getan habe!«

»Entweder Sie wählen selbst einen, oder es wird für Sie ein Pflichtverteidiger bestimmt. Ich glaube, ich darf Ihnen sagen, daß Sie in Ihrem eigenen Interesse, vorausgesetzt, Ihre finanziellen Verhältnisse gestatten es...«

»Ich schwöre Ihnen, Herr Richter, ich habe Monsieur Février nicht umgebracht.«

Zum ersten Mal seit dem Vormittag wurde er lebhafter, zum ersten Mal zeigten seine Wangen etwas Farbe, und zum ersten Mal spürte er seine Handschellen, da er seine Worte durch eine Handbewegung hatte unterstreichen wollen.

»Ich weiß, was Sie mir sagen wollen. Heute morgen, als der Kommissar mich gefragt hat, ob ich in letzter Zeit das Haus von Monsieur Février betreten hätte, habe ich das verneint. Ich wußte noch nicht, daß er tot war. Ich dachte, das ginge niemanden etwas an.«

»Nehmen Sie bitte zur Kenntnis, Canut, daß ich Sie nicht verhöre und daß ich Sie auf Ihre Rechte hingewiesen habe.«

Canut zuckte mit den Schultern, was soviel heißen sollte wie:

»Das ist mir gleich!«

Heftig fuhr er fort:

»Der Kommissar war hartnäckig. Ich bin bei meiner ersten Behauptung geblieben. Er hat mich gefragt, ob ich Monsieur Février nicht bei unserem letzten Landaufenthalt, also in der Nacht vom zweiten auf den dritten Februar, besucht hätte. Ich wiederhole Ihnen, daß ich noch nicht Bescheid wußte und deshalb zu Recht meinte, mein Tun und Lassen gehe niemanden etwas an. Deshalb bin ich bei meinem Nein geblieben.«

»Protokollführer, nehmen Sie die Äußerungen bitte nicht zur Kenntnis, die...«

»Sie sollten aber zur Kenntnis genommen werden, Herrgott nochmal! Jetzt, wo wir unter uns sind, habe ich das Recht zu sprechen, ja oder nein? Der Kommissar ist in meine Kabine hinabgestiegen. Er hat den Tabaksbeutel gefunden. Ich habe mich damit herausgeredet, daß ich ihn schon lange hätte.«

»Ich wiederhole, Canut, daß Ihr eingehendes Verhör in Gegenwart Ihres Anwalts stattfinden wird.«

»Ich will keinen!«

»Sie werden trotzdem einen bekommen!«

»Wann werde ich also das Recht haben, zu sprechen?«

»Wenn die Justiz beschließt, Sie zu verhören. Inzwischen beschuldige ich Sie kraft meiner Eigenschaft als Untersuchungsrichter des Mordes an Monsieur Emile Février, Seemann, sechsundsechzig Jahre alt, wohnhaft Villa des Mouettes in Fécamp. Der Mord wurde in der Nacht vom zweiten auf den dritten Februar gegen ein Uhr morgens mit einem Matrosenmesser begangen, das am Tatort gefunden worden ist.«

Canut zuckte die Achseln.

»Außerdem beschuldige ich Sie, Geld, Wertpapiere und einige Wertgegenstände aus dem Besitz des Opfers entwendet zu haben.«

Zur selben Zeit hob sich in Fécamp die »Centaure« aus dem Wasser empor, um die schwere Dünung vor der Mole zu überwinden. An Bord ein Kapitän, der kein Einheimischer war und keinerlei Erfahrung im Heringsfang besaß.

Überall war Nacht, auf dem Land, wo nur die Fenster der Gasthäuser und Höfe erleuchtet waren, auf den Gleisen der Eisenbahn, die mit farbigen Signallichtern besetzt waren, auf dem Meer schließlich und selbst in den Städten, die von Gaslaternen übersät waren und sich aus Lichtzonen und dunklen Rechtecken zusammensetzten.

»Rufen Sie die Wärter und lassen Sie den Angeklagten in die Zelle zurückführen.«

Canut war bis zum Schluß stur geblieben. Er wollte keinen Anwalt. Der Kommissar, der ihn verhaftet hatte, spielte im Café de la Comédie Bridge.

Charles Canut wartete in seiner Ecke im Café de l'Amiral, bis Babette sich zu ihm setzen konnte.

Währenddessen sagte Madame Canut sanft zu ihrer Schwester, die nähte, ohne sie aus den Augen zu lassen:

»Pierre wird die gute Nachricht bald erfahren. Wenn er hört, daß Gott den letzten Antichristen vernichtet hat...«

Solche Sachen sagte sie, ohne die Stimme zu heben, ganz natürlich.

»Ich bin zu seinem Begräbnis gegangen, um mich zu vergewissern, daß er wirklich tot ist. Vier sind es gewesen. Nun ist der vierte den anderen gefolgt, und mein Canut kann ins Paradies.«

Der Teekessel auf dem Feuer stieß den Dampf aus. Die Suppe kochte in einer Ecke des Herds leise vor sich hin. Kein Schmutzfleck, kein Staubkorn fand sich im Hause der Canuts. Im leeren Salon im Erdgeschoß hing die vergrößerte Fotografie eines Mannes von vierundzwanzig Jahren in Marineuniform, der, vom Schnurrbart abgesehen, Pierre und Charles ähnelte, eher allerdings Charles als Pierre.

... Pierre, der im Gefängnis schlafen würde.

2

Charles Canut war bis sechs Uhr auf dem Bahnhof geblieben. Schließlich konnte das Frachtgut nicht liegenbleiben, nur weil sein Bruder im Gefängnis war. Er konnte die Arbeit längst mechanisch verrichten, ohne einen Gedanken auf sie zu verwenden, den Bleistift mit dem Gummiaufsatz hinterm Ohr.

Dann hatte er zwei Cafés aufgesucht, nicht um zu trinken, sondern um Filloux zu suchen, von dem er sich am folgenden Tag vertreten lassen wollte.

Die Stadt war trübselig. Die Läden waren nicht hell genug erleuchtet, um den Straßen einen freundlichen Anstrich zu geben. Ganz abgesehen davon, daß sich zwischen ihnen schwarze Löcher auftaten, in denen man die Passanten wie in Fallen verschwinden sah. Nur ihre Stimmen waren noch zu hören.

»Na, Charles?«

Ohne Grund fuhr er zusammen. Der Anruf war so unerwartet gekommen. Er erkannte seine Kusine Berthe, die wohl vom Abendgottesdienst kam, denn sie trug ein Gebetbuch in der Hand und hatte einen schwachen Duft von Weihrauch an sich.

»Was willst du tun? Ich bin vor der Kirche bei dir gewesen. Mama ist da, weil die Tante ziemlich erregt ist. Was ist mit Pierre?«

»Ich muß nach Rouen.«

»Ich habe für ihn gebetet. Morgen gehe ich für ihn zur Kommunion.«

Sie war ein schönes Mädchen, rosig und frisch, die Tochter seiner Tante Lachaume, die eine Konditorei in der Rue d'Etretat hatte.

»Viel Glück, Charles.«

»Gute Nacht!«

Er hätte nach Hause gehen können, um nach seiner Mutter zu sehen. Doch sagte er sich, daß kein Grund zur Sorge bestehe, da seine Tante bei ihr war und anschließend von Louise abgelöst werden würde. Er hätte auch gleich den Zug nehmen können, denn er hatte Filloux gefunden, der ihn am folgenden Tag auf dem Bahnhof vertreten würde.

Doch es war stärker als er. Er schaute zuerst im Café de l'Amiral vorbei. Den ganzen Tag über hatte er kaum einmal den Gedanken an seinen Bruder abschütteln können, und trotzdem runzelte er die Stirn, als er sah, daß Paumelle rechts vom Tresen saß, während Babette hinten in der Gaststube Gäste bediente.

So war er nun einmal. Er konnte nichts dagegen machen! War er nicht im Amiral, verfolgte ihn das Bild von Babette, einer Babette, die fröhlich mit den Gästen scherzte.

»Du bist ungerecht«, pflegte sie zu sagen, »ich bin noch nicht einmal höflich genug zu ihnen.«

Das stimmte. Jules, der Wirt, warf ihr das oft genug vor und hatte Charles deshalb auf dem Kieker. Das änderte aber nichts daran, daß Babette manchen Fischern nicht verbieten konnte, sie zu duzen oder anzügliche Scherze auf ihre Kosten zu machen.

Heute abend war es noch schlimmer; Paumelle war da, ein Taugenichts, ein Bursche von zwanzig Jahren, der am Hafen herumlungerte und stets nach einer Gelegenheit Ausschau hielt, sich auf mehr oder minder ehrliche Weise etwas zu verdienen oder sich zu einem Glas einladen zu lassen. Eine Hafenratte eben.

Absichtlich suchte sich Paumelle stets wie Charles einen Platz in der Nähe der Theke, nur auf der anderen Seite. Absichtlich rief er dann immer:

»Bring mir Streichhölzer, Schätzchen!«

Und jetzt fing das wieder an. Charles war gekommen, um sich von dem Mädchen zu verabschieden. Nun blieb er und ließ den anderen nicht aus den Augen. Wie jeder andere Gast mußte er etwas trinken. Babette bediente ihn.

»Ich verbiete dir, daß du dich von Paumelle duzen läßt.«

»Du weißt, daß er ein entfernter Vetter von mir ist und daß wir zusammen in der Schule waren.«

»Das ist mir gleich.«

Nie hatten sie Zeit, zwei Sätze miteinander zu wechseln! Eben war ein Schiff eingelaufen, zehn, fünfzehn, zwanzig Männer in Ölzeug saßen steif und durchgefroren dicht an dicht an den Tischen und verlangten zu trinken.

»Was gibt's Neues im Lande?«

»Pierre ist verhaftet worden!«

»Wieso verhaftet?«

»Er ist nach Rouen ins Gefängnis gebracht worden. Er soll den alten Février getötet haben. Sie haben sogar die ›Centaure‹ von oben bis unten durchsucht.«

Charles wollte Babette noch ein paar Worte sagen und dann gehen. Er winkte sie heran. Das Tablett in der Hand, kam sie vorbei und flüsterte ihm zu:

»Warte! Ich muß mit dir sprechen.«

Alle wußten, daß er da war und zuhörte. Trotzdem nahmen sie kein Blatt vor den Mund, als sie sich über seinen Bruder und seine Familie unterhielten.

»Ist es möglich, daß er es getan hat?«

»Wißt ihr, wenn er seine arme Mutter den ganzen Tag davon hat reden hören...«

Paumelle rief Babette, hielt sie absichtlich auf. Sie wagte nicht fortzugehen. Wäre Charles nicht besser zu seiner Mutter gegangen?

»Babette!«

»Ich komme gleich.«

Doch der Wirt schickte sie in den Keller, Genever zu holen, und Paumelle lachte ganz unverhohlen.

Wenn man Charles Canut gefragt hätte, was ihn an diesem Mädchen so faszinierte, daß er seit einem Jahr jede freie Stunde im Amiral verbrachte, so daß nicht viel fehlte und er hätte auch noch dort geschlafen, hätte er große Mühe gehabt, eine Antwort zu finden.

Sie war nicht schön, noch nicht einmal hübsch. Mager war sie, hatte ein blasses Gesicht, Augen, die keine bestimmte Farbe hatten. Die Farbe von schmutzigem Wasser, pflegte Pierre lachend zu sagen. Ihre Haare waren stets unordentlich und ihr Gesichtsausdruck weder fröhlich noch traurig, ein Gesichtsausdruck, der nur ihr eigen war. Sie sah aus – dies stammte wieder von Pierre –, als ob ihr alles gleich wäre.

Was hatte er davon? Wenn er sie küßte, so geschah es zwischen Tür und Angel, vor der Küche, wo es nach gebratenem Hering roch, oder auf der Straße, wohin sie für einen Augenblick entwischte, um sich eher gefügig als leidenschaftlich an ihn zu schmiegen.

Trotzdem wäre er um ihretwillen fähig gewesen, Paumelle oder einen anderen zu töten! Alle mißbilligten sie das Verhältnis. So würde beispielsweise seine Tante Lachaume ihm nie verzeihen, daß er ihre Tochter Berthe, das Mädchen, das er eben getroffen hatte, als es vom Abendgottesdienst kam, nicht heiratete.

»Babette!«

Wütend stieß er hervor:

»Wenn du noch einmal mit Paumelle sprichst...«

»Komm einen Augenblick nach draußen.«

Alle Gäste wußten Bescheid. Er war dreiunddreißig und war hinter einem Rock her wie ein Jüngelchen von sechzehn.

»Was hast du mir zu sagen?«

Sie standen im Regen, in der Nähe der Schleuse. Der Wind zerzauste Babettes rötliches Haar.

»Eben ist mir eingefallen... heute morgen, als ich den Kommissar gesehen habe...«

»Nun?«

Er hatte immer noch schlechte Laune, weil er unglücklich war und weil Paumelle dort im Café saß, in das Babette gleich zurückmußte.

»Also, er ist schon letzte Woche mal hier gewesen. Zwei Tage nach dem Auslaufen der ›Centaure‹. Er hat mich gefragt, ob dein Bruder lange auf See bleibe, und ich hab geantwortet, daß das vom Hering abhänge.«

»Hat er noch irgend etwas gefragt?«

»Nicht viel. Nur ob Pierre den Brief erhalten habe.«

»Welchen Brief?«

»Den, der am Zweiten für ihn gekommen ist, gerade als die ›Centaure‹ eingelaufen war. Gleich am nächsten Morgen sollte sie wieder hinaus.«

»Da ist ein Brief für Pierre gekommen? Woher?«

»Ich weiß nicht. Ich glaube, es war eine französische Marke. Wenn es eine aus einem anderen Land gewesen wäre, wäre es mir aufgefallen.«

»Und der Kommissar hat dich gefragt . . .?«

Was hatte das zu bedeuten? Zwar wurde das Café de l'Amiral von den meisten Seeleuten als Postfach benutzt, vor allem von denen, die nicht in der Stadt wohnten und für die es einfacher war, wenn ihre Korrespondenz zu Jules geschickt wurde. Doch bei Pierre war das normalerweise nicht der Fall. Am seltsamsten aber war, daß er ihm nichts davon erzählt hatte.

»Ich muß zurück«, sagte Babette, die vor Kälte zitterte. »Was wirst du tun?«

»Ich fahre nach Rouen.«

»Küß mich, rasch.«

Sie fühlte sich eiskalt an.

»Warte, ich . . .«

Zu spät! Jules selbst öffnete die Milchglastür, um seine Bedienung zu rufen.

»Dann eben nicht. Ich nehme den D-Zug um zwölf Uhr fünf heute nacht.«

Er ging ins Café zurück, obwohl er wußte, daß es lächerlich war. Er bestellte ein Glas Rum und brütete mit verbissenem Gesicht vor sich hin.

Warum hatte Pierre ihm diesen Brief nicht gezeigt? Es war ebenso unwahrscheinlich, wie ... Er hätte nicht sagen können, wie was! Jeder wußte, daß Pierre sich nie mit Geschriebenem befaßte.

»Zeigen Sie das Charles!« sagte er jeweils.

Oder:

»Ich unterschreibe es, wenn Charles sagt, daß ich es unterschreiben soll.«

Charles war es nämlich, mit seiner etwas sturen Art, mit seinem pedantisch genauen Denken, mit den immer ein wenig traurigen Augen, der für geistige Dinge zuständig war. Als Pierre sich auf das Fischereiexamen, dann auf das Kapitänspatent vorbereitet hatte, hatte Charles sich sogar den ganzen Stoff aneignen müssen, um ihn dann seinem Bruder beizubringen.

Natürlich bedeutete ein Brief gar nichts! Es hätte ja auch sein können, daß Pierre ...

Nein! Noch nicht einmal das! Hatte nicht immer Charles die Liebesbriefe schreiben müssen, wenn der Bruder eine Liebschaft gehabt hatte? Ausgerechnet Charles, der in bezug auf seinen Bruder ebenso eifersüchtig war wie in bezug auf Babette, wenn nicht noch mehr!

Was hatte sich am zweiten Februar eigentlich alles zugetragen? Die Flut war abends gewesen. Warum war Charles nicht im Amiral gewesen? Er versuchte sich zu erinnern. Er war sehr genau und hätte gern ein Stück Papier gehabt, um seine Gedanken besser festzuhalten.

Ganz einfach! Er hatte gewiß bei der Mutter zu Abend gegessen! Ja! Er war beim Abendessen gewesen, als die »Centaure« eingelaufen war. Und dann?

Er rief Babette und fragte sie:

»Wann hast du ihm den Brief gegeben?«

»Als er gekommen ist. Fast sofort.«

Pierre war also, wie er es zu tun pflegte, gleich nachdem er von Bord gegangen war, im Amiral eingekehrt, um einen Kaffee mit Schnaps zu trinken.

Und dann?

Unglaublich, wie schwer einem die Erinnerung schon nach zehn Tagen fällt. Charles zweifelte nicht daran, daß er ins Amiral gegangen war, weil er alle seine Abende dort verbrachte. Er mußte so gegen acht Uhr gekommen sein.

Richtig! Er erinnerte sich! Er hatte sich nach seinem Bruder erkundigt und erfahren, daß dieser mit dem Schmied an Bord sei, der eine kleine Reparatur vornehmen sollte. Er hatte ihn auf dem glitschigen Deck angetroffen, wo man mit dem Entladen des Schiffes beschäftigt war.

War Pierre angespannter gewesen als sonst?

Ohne es zu merken, hatte Charles begonnen, die Marmorplatte des Tisches zu bekritzeln.

Nein! Wenn Pierre angespannt gewirkt hatte, dann so, wie es eben ein Kapitän ist, der in einigen Stunden auslaufen will und die anfallenden Arbeiten überwachen muß. Gewiß hatte er Charles gefragt:

»Wie geht es Mama?«

Und Charles hatte geantwortet:

»Wie immer!«

Was stimmte und wieder nicht stimmte, weil sie erneut eine Krise gehabt hatte, die wie gewöhnlich durch das Zusammentreffen mit Monsieur Février ausgelöst worden war. Alle ihre Krisen glichen sich, sie verliefen nur mehr oder weniger heftig. Monsieur Février sah sie auf sich zu kommen. Sie beachtete weder die Menge noch die Polizisten. Dann hob sie mit eintöniger Stimme ihre Litaneien an:

»Denke daran, Antichrist! Drei sind schon tot und mein Pierre dort oben erwartet den vierten. Spürst du nicht, daß deine Stunde naht? Spürst du nicht, daß deine Anwesenheit auf Erden eine Gotteslästerung ist?«

Hager, schwarz gekleidet, mit fiebrigen Augen folgte sie ihm, wobei sie unaufhörlich ihre unheilverkündenden Sätze vor sich hin sprach. Die Menge rottete sich zusammen. Ein peinliches Schauspiel, dem sich Monsieur Février, der nicht zu antworten wagte, vergebens zu entziehen versuchte. Trat er in ein Geschäft ein, so kam ihm Madame Canut nach.

Charles war sich sicher, daß er seinem Bruder am Zweiten nicht mitgeteilt hatte, daß die Mutter eine neue Krise gehabt hatte. Statt dessen hatte er ihm wie immer von Babette erzählt. Er hatte ihm gesagt, daß er Bedenken habe, sie zu heiraten. Würde doch ihre Mutter die Gegenwart einer Schwiegertochter im Hause nicht ertragen.

Denn Charles hatte stets mit solchen Skrupeln zu kämpfen. Sie lagen in seiner Natur. Immer fürchtete er, Kummer zu bereiten, jemandem zu nahe zu treten. Bei jeder Gelegenheit entschuldigte er sich, selbst wenn man ihm auf die Füße trat.

Der Rest des Abends? Wie immer! Er hatte in der Nähe der Theke gesessen, während Pierre an Bord

gearbeitet hatte. Dann war Pierre mit Kollegen herein-
gekommen.

»Kommst du nicht nach Hause?« hatte Charles ihn
gefragt.

Ja! So war es gewesen. Charles war allein nach Hause
gegangen, während Pierre noch geblieben war. Offensichtlich noch lange, denn Charles hatte ihn nicht
zurückkommen hören. Am nächsten Tag dann lief die
»Centaure« bereits um sieben Uhr aus.

Nun hatte aber Tatine, die Haushälterin von Monsieur Février, die blutige Leiche ihres Arbeitgebers erst
um acht Uhr entdeckt.

So daß dieser Brief... Bei diesem Gedanken verfärb-
te sich Charles. Wie hatte der Kommissar wissen
können, daß sein Bruder genau an diesem Tag einen
Brief im Café de l'Amiral bekommen hatte?

»Babette! Denk genau nach. Bist du sicher, daß er dir
sonst nichts gesagt hat?«

Unter dem spöttischen Blick Paumelles war er drauf
und dran, einer jähen Eingebung nachzugeben und ihm
sein Glas an den Kopf zu werfen.

»Hör zu. Es ist sehr wichtig. Um wieviel Uhr ist
mein Bruder an jenem Abend fortgegangen?«

»Was weiß ich? Wir haben ziemlich früh geschlossen. Vielleicht um Mitternacht?«

Es half nichts! Er mußte zum Zug, während Paumelle bei Babette blieb. Und er hatte noch nicht einmal
Gelegenheit, sie zu umarmen!

Als erstes mußte er Pierre besuchen. Man konnte
ihm das nicht abschlagen. Er würde den Richter aufsuchen. Ihm sagen...

Zuerst mußte er mit dem fast leeren Bummelzug – drei Reisende waren sie! – nach La Bréauté, das an der Hauptstrecke liegt. Der hellerleuchtete D-Zug aus Le Havre rauschte heran. Charles Canut drängte sich eilig in ein Abteil voller Soldaten und Seeleute auf Urlaub. In Rouen kümmerte er sich nicht um die zwielichtigen Schattengestalten, die sich in dunklen Winkeln an ihn zu hängen suchten. Er stieg in einem Hotel beim Markt ab, das er kannte, und bat, man möge ihn um sieben Uhr wecken.

Er hatte eine schlechte Nacht. Natürlich! Waren nicht fast alle seine Nächte schlecht? Tagsüber ging es noch. Da arbeitete er, war er mit tausend Dingen beschäftigt, dachte er an Babette.

Aber nachts, im Dunkeln, kam es selten vor, daß er nicht jene Hitze in sich aufsteigen spürte, die ihn erschreckte. Denn er wußte, daß es das Fieber war. Er wußte auch, was es bedeutete.

»Sie sollten versuchen, sich in die Berge versetzen zu lassen«, hatte ihm der Arzt vor sechs Jahren geraten, »das Klima in Fécamp bekommt Ihnen nicht.«

Und was würde dann aus seiner Mutter? Und aus Babette? Und aus seinem Bruder? Was würden sie ohne ihn machen und er ohne sie?

Es lag in seiner Natur. Er mußte das Gefühl haben, die anderen brauchten ihn. Und er brauchte die anderen. Er hatte ein unstillbares Bedürfnis nach Liebe und Verständnis. Er war glücklich, wenn es hieß – und ihm zu Gefallen war es häufig zu hören:

»Die Brüder Canut sind wie siamesische Zwillinge. Sie könnten ohne einander nicht leben!«

Und er wurde rot, wenn hinzugefügt wurde:
»Pierre ist die Muskelkraft, die Gesundheit. Charles ist der Kopf der Familie!«

Nur nachts fühlte er sich sehr allein, krank, gefährlich krank. Und manchmal überwältigte es ihn. Er versuchte zu begreifen, warum es ausgerechnet ihn treffen mußte, ihn, der nie irgend jemandem etwas Böses getan hatte, im Gegenteil! Und immer beschwor er zum Schluß das Bild einer Beerdigung herauf. Die Menge in Schwarz, sein Bruder ganz vorn in tiefem Schmerz, die Augen rot und verquollen...

Mit diesen Gedanken schlief er ein. Kurz vor sieben wachte er auf und ging in die Gaststube hinunter, wo ein paar Gemüsehändler frühstückten. Auf einem Tisch entdeckte er eine zusammengefaltete Zeitung, las halbverdeckt: »Mörder...«

Beinahe verstohlen nahm er das Blatt und setzte sich in eine Ecke. Dort las er den Artikel, der auf der ersten Seite stand und eine breite Schlagzeile trug.

*Die sensationelle Geschichte
der Überlebenden der »Télémaque«
Aufsehenerregende Verhaftung von Pierre Canut,
dem Mörder von Emile Février*

Fast hätte er nach Babette gerufen – so sehr war für ihn die Tatsache, sich in einem Café zu befinden, gleichbedeutend mit der Gegenwart des Mädchens. Doch die Serviererin hier war ein gleichgültiges, dickes Bauernmädchen, das seine Holzschuhe bei der Küchentür ausgezogen hatte und auf Filzsocken ging.

Die Verhaftung von Pierre Canut, dem Kapitän des Fischdampfers »Centaure«, die gestern morgen in Fécamp vorgenommen wurde und zu einer regelrechten Demonstration der Seeleute führte, ist nicht nur die Folge des vor zehn Tagen verübten Mordes an Emile Février, sondern – wie sich durchaus sagen läßt – der Schlußpunkt einer Reihe von Ereignissen, die sich 1906 vor Rio de Janeiro abgespielt haben.

Diese Ereignisse, die für die Seeleute fast zur Legende geworden sind, haben wir mit Hilfe des Zeitungsarchivs rekonstruieren können.

Damals war die Segelschiffahrt noch im Schwange, und die Flotte von Fécamp bestand nicht nur aus Neufundlandfischern, von denen es auch heute noch einige gibt, sondern auch aus einem Viermaster, der jedes Jahr nach Chile segelte: der »Télémaque« unter Kapitän Roland.

Im Winter 1906 nun traf die telegraphische Meldung ein, daß die »Télémaque« vor Rio de Janeiro mit Mann und Maus gesunken sei.

Vier Wochen später barg ein englischer Dampfer mit Kurs auf Kap Hoorn auf offenem Meer ein Boot, in dem man fünf reglose Gestalten entdeckte.

Vier von ihnen konnten wieder zum Leben erweckt werden. Der fünfte, der eine merkwürdige Wunde am Handgelenk aufwies, war bereits tot, als man ihn an Bord des Schiffes hievte.

Die vier Überlebenden waren:

Emile Février aus Fécamp, sechsunddreißig Jahre, Steuermann an Bord der Télémaque;

Martin Paumelle aus Loges, zwanzig Jahre, Matrose;

Jean Berniquet aus Benouville, sechsundzwanzig Jahre, Takler;

Antoine Le Flem aus Paimpol, sechsunddreißig Jahre, Zimmermann.

Der Tote war Pierre Canut aus Fécamp, vierundzwanzig Jahre alt.

Die Nachforschungen der Seefahrtsbehörde erwiesen sich als äußerst schwierig. Diese brachte in Erfahrung, daß sich im Rettungsboot ursprünglich sechs Überlebende der »Télémaque« befunden hatten. Ein englischer Matrose, der zur Besatzung gehörte, Patrick Paterson aus Plymouth, genannt Quick, fünfundvierzig Jahre alt, hatte mit den anderen im Boot Platz gefunden.

Zuerst waren die Lebensmittel ausgegangen, dann das Wasser. Und Patrick, der weniger Widerstandskraft als die anderen besaß, starb als erster.

Daraufhin – vor uns liegen die Aussagen der Überlebenden. Doch lassen sie sich in ihrer entsetzlichen Offenheit nicht abdrucken.

Das Boot trieb seit vierzehn Tagen auf dem Meer. Einige der Männer konnten sich nicht einmal mehr auf die Ellbogen hochrappeln, so schwach waren sie. Février, der Steuermann, der schon die arktischen Meere befahren hatte, überwand sich als erster und brachte dem noch warmen Körper Quicks einen tiefen Schnitt am Handgelenk bei.

Als der blutleere Leichnam des Engländers ins Meer geworfen wurde, hatten die fünf Männer wieder Kraft für einige Tage. Doch bald schon verfielen sie aufs neue in ihre tödliche Schwäche.

Wie sich denken läßt, wollten die Behörden genaue-

39

res über die Wunde wissen, die Canut am Handgelenk trug. Die vier Geretteten wurden stundenlangen Einzelverhören unterzogen, und dies zu einem Zeitpunkt, da ihr Zustand ihnen nicht gestattet haben dürfte zu lügen.

So hat es den Anschein, daß ihre übereinstimmenden Aussagen auf der Wahrheit beruhen. Ihnen zufolge verfiel Canut am letzten Tag in Wahnsinn und schnitt sich selbst mit seinem Messer das Handgelenk auf.

Er ließ in Fécamp eine Frau zurück, die er erst vor einigen Monaten geheiratet hatte. Bald darauf wurden Zwillinge geboren.

Mechanisch hatte Charles eine große Tasse Kaffee getrunken, die seinen Magen in Aufruhr brachte. Ohne etwas zu sehen, ruhten seine Augen auf den Leuten in der Gaststube, die sich laut unterhielten und mit Appetit aßen. Es kam ihm merkwürdig vor, all diese Dinge, die ihm so vertraut waren, schwarz auf weiß zu lesen. Denn dadurch veränderten sie sich. Ein bißchen wie eine Landschaft, die man aus der Kindheit kennt und die man später wiedersieht. Sie ähnelt dann nicht mehr der Erinnerung, die man an sie bewahrt hat.

Wie hätte man auch das tragische Geschehen in wenigen Zeilen erzählen können? Doch es kam noch schlimmer!

Wir haben nicht in Erfahrung bringen können, was aus Berniquet und Le Flem geworden ist…

Charles wußte es. Wie hätte es auch anders sein sollen?

War es doch die Geschichte seines Lebens und die seiner Familie.

Martin Paumelle war für etwa zehn Jahre verschwunden. Dann war er nach Fécamp zurückgekehrt und hatte sich einen alten Kutter, die »Françoise«, gekauft, um Küstenfischfang zu betreiben. Da war er schon Trinker und die Hälfte der Zeit nicht bei klarem Verstand.

Als Matrosen hatte er keinen andern finden können als einen armen Kerl, der an Epilepsie litt und der nur »der Idiot« genannt wurde.

In Fécamp hätte man tausend Geschichten von ihnen zu erzählen gewußt. Von den Ausfahrten, die sie nur durch ein Wunder unbeschadet überstanden hatten, von den vielen Malen, da man ihretwegen – immer ihretwegen! – das Rettungsboot hatte auslaufen lassen müssen, von Paumelle, der heulte, wenn er besoffen war, und alle Welt um Verzeihung bat, von den Kneipen, in denen er nichts mehr zu trinken bekam, und von dem Sohn, den er von einer Frau hatte, die ihm davongelaufen war und ihn mitsamt dem Kind hatte sitzenlassen...

Mit dreiundfünfzig Jahren war Paumelle gestorben. Er war, zwischen dem Rumpf seines Schiffes und der Kaimauer eingeklemmt, regelrecht zerquetscht worden. Er ließ nichts zurück als Gaston Paumelle, diesen Lumpen, der sich stets über Charles lustig machte und Babette duzte.

Das war der eine!

Was Le Flem betraf, so hatte er mehrere Jahre in Westafrika verbracht, wo er ein wenig Geld gemacht haben mußte, da er in Niort einen Tischlereibetrieb aufmachte und ein Mädchen aus guter Familie heiratete.

Er war im Bett gestorben. Mit fünfundsechzig, an einer Magenkrankheit. Sein einziges Kind war eine Tochter, Adèle, die jetzt zwanzig sein mußte.

Der zweite!

Von wem war in der Zeitung noch die Rede? Berniquet? Der war der See treu geblieben. Er war Schlepperkapitän in Ostende geworden und niemals zurückgekehrt.

Oder vielmehr nur ein einziges Mal, beim Tod seiner Mutter.

Am Abend der Beerdigung in Benouville hatte er über den Küstenweg nach Etretat zurückkehren wollen. Er hatte nicht gewußt, daß dort seit seiner Kindheit große Teile abgerutscht waren. Über hundert Meter war er in die Tiefe gestürzt.

Blieb Février, der Steuermann. Die Zeitung schrieb:

Emile Février kehrte nicht nach Europa zurück. Nach Beendigung der Untersuchung ließ er sich in Guayaquil nieder und heuerte auf einem Schiff an, das zwischen Equador und den Galapagosinseln verkehrte, dann auf einem Frachtschiff der French Line, das die Küsten von Chile und Peru befuhr.

Der Zufall führte ihn mit Georgette Robin, einer Französin aus Fécamp, zusammen, die als Erzieherin bei einer chilenischen Familie beschäftigt war. Er heiratete sie, trennte sich aber später von ihr.

Erst vor zwei Jahren kehrte er nach Fécamp zurück,

wo er die Villa des Mouettes in Besitz nahm, die ihm ein
verstorbener Onkel vererbt hatte.

Février war ein ruhiger und etwas menschenscheuer
alter Mann geworden. Immer war er allein und traurig.
So selten wie möglich ließ er sich in den Straßen der
Stadt blicken.

Dies um so mehr, als er dort Madame Canut, die
Frau jenes Canut, traf, der …

Charles konnte nicht weiterlesen. Wieso durften die
Zeitungen von diesen Dingen berichten? Was gingen
sie beispielsweise die Klatschweiber an, die draußen
Blumenkohl und Sellerie verkauften?

Gewiß, seine Mutter mochte verrückt sein! Doch
nicht so, wie die Leute denken, wenn sie lesen, jemand
sei verrückt. Sie war auf ihre Weise verrückt, was sich
schon darin zeigte, daß niemals die Rede davon gewesen war, sie in eine Anstalt zu bringen.

Sie lebte wie alle anderen, aß, besorgte den Haushalt
und kochte. Nur daß ihre Schwester, die die Konditorei
drei Häuser weiter führte, von Zeit zu Zeit nach dem
Rechten sah.

Manchmal kam es eben vor, daß sie ganze Nachmittage lang weinte und mit sich selbst sprach. Oder auch,
daß sie – im Milchgeschäft zum Beispiel, wenn sie
Butter kaufte – völlig unvermittelt meinte:

»Haben Sie schon gehört, jetzt sind es nur noch
zwei. Es dauert lang! Aber ich hab Geduld. Es wird der
Augenblick kommen, wo sie alle tot sind und mein
Pierre seinen Frieden findet.«

Denn sie führte Buch über sie, diejenigen, die nach

ihrer Auffassung mit ihrem Mann genau dasselbe wie mit dem Engländer gemacht hatten. Sie hielt sich auf dem laufenden. Unermüdlich wie sie war, brachte sie auch als erste den Tod von Le Flem in Erfahrung.

Im übrigen waren ihre Krisen selten und wurden erst häufiger, als Février seine Villa in Fécamp bezog, oben an der Steilküste.

»Das ist der letzte, wenn er tot ist, hat mein Pierre endlich seinen Frieden!«

Und nun füllte die Zeitung Spalte um Spalte mit diesen Geschichten. Für sechs Sous konnte, wer immer es wollte, sich über alle Einzelheiten informieren!

»Bringen Sie mir einen doppelten Schnaps!« verlangte Charles, der keinen Alkohol vertrug.

Die Aufklärung des Verbrechens

Die erste Seite reichte ihnen nicht, so griffen sie das Thema auf der dritten wieder auf!

Unter dem Gesichtspunkt der Methode darf die Untersuchung, die von Untersuchungsrichter Laroche unter Mitwirkung des Hauptkommissars Gentil durchgeführt wurde, fortan als beispielhaft gelten.

Am 3. Februar um acht Uhr morgens wunderte sich die Haushälterin von Monsieur Février, die in der Stadt unter dem Namen Tatine bekannt ist, als sie beim Betreten der Villa feststellte, daß Licht durch die Jalousien des Salons drang. Trotzdem ging sie hinein, ohne Böses zu ahnen, weil sie annahm, ihr Arbeitgeber habe vergessen, das Licht auszumachen, als er sich zum Schlafen nach oben begeben hatte.

Wie erschrak sie aber, als sie die Salontür öffnete und den Alten mit durchschnittener Kehle inmitten einer Blutlache erblickte.

Sie alarmierte die Nachbarn, und die örtliche Polizei war gleich zur Stelle. Glücklicherweise war am Tatort nichts verändert worden, wie es in falschem Übereifer viel zu häufig geschieht.

Um zwei Uhr trafen Monsieur Laroche, Kommissar Gentil und ein Inspektor vom Erkennungsdienst in Begleitung eines Gerichtsmediziners in Fécamp ein. Dank ihrer eingehenden Untersuchung blieb keine Einzelheit im dunkeln.

Auf dem Tisch im Salon bezeugten zwei Gläser, von denen eines noch halb mit Genever gefüllt war, daß Monsieur Février kurz vor seinem Tode einen Besucher empfangen hatte, dem er keinerlei Mißtrauen entgegengebracht hatte.

Ein weiteres Detail fiel den Beamten auf: Das Messer, mit dem die Tat verübt worden war, lag noch in der Blutlache. Es handelte sich um ein altmodisches Matrosenmesser, dem in großen Buchstaben die Initialen P.C. eingraviert waren.

Die Villa von Monsieur Février war sehr gepflegt, der Parkettboden sorgfältig gebohnert. Man brauchte nur die Spuren zu sichern, die der Mörder darauf zurückgelassen haben mußte. So ließ sich folgender Sachverhalt rekonstruieren:

Nach Auskunft des Gerichtsmediziners erschien gegen Mitternacht ein Mann bei der Villa des Mouettes, und Monsieur Février, der sich ausnahmsweise noch nicht zu Bett begeben hatte (normalerweise ging er sehr früh schlafen), öffnete dem Besucher die Tür.

Es regnete. Der Besucher, der Holzschuhe trug, ließ sie an der Salontür zurück. Von dort an finden sich dann sehr deutliche Spuren seiner feuchten Socken auf dem gebohnerten Parkett.

Es muß zu einem Wortwechsel gekommen sein. Jedenfalls war der Besucher nervös, denn seine Spuren führen von einem Ende des Raums zum anderen und zeugen von seiner Erregung.

Dann muß er eine Zeitlang Platz genommen haben. Denn bei der Untersuchung eines Sessels sollte der Spezialist vom Erkennungsdienst eine Entdeckung machen: Er stieß auf einige Heringsschuppen, die an dem Stuhl haften geblieben waren.

Damit war so gut wie bewiesen, daß der Besucher ein Seemann war, der sich noch nicht lange an Land aufgehalten hatte. Nun war aber die »Centaure« das einzige Schiff, das an diesem Abend eingelaufen war.

Da Monsieur Février den Besuch erwartet hatte, befragte man seine Haushälterin, und diese sagte aus, daß ihr Arbeitgeber zwei Tage vor seiner Ermordung wieder einmal einen Auftritt auf offener Straße mit Madame Canut gehabt habe. Er habe daraufhin einen Brief geschrieben und sie beauftragt, ihn aufzugeben. Dieser Brief hatte folgende Adresse getragen: Pierre Canut, Café de l'Amiral, Fécamp.

Kaum jemals ist eine Untersuchung so diskret durchgeführt worden. Das war in diesem Fall auch notwendig.

Canut befand sich nämlich unweit der englischen Küste auf See. Wie die meisten Fischdampfer aus Fécamp ist auch sein Schiff mit Funk ausgerüstet. Man darf schließlich nicht vergessen, daß die Canuts zwei Brüder sind, die sich sehr zugetan sind.

Wie hat man sich ein Paar Holzschuhe von Pierre Canut beschafft? Die Polizei hat sich geweigert, uns dies preiszugeben. Wir wissen lediglich, daß ihre Abdrücke mit denen übereinstimmten, die im Flur der Villa aufgefunden worden waren.

Zudem konnte Kommissar Gentil sich vergewissern, daß Pierre Canut am Abend des zweiten Februar den Brief von Février ausgehändigt bekommen hatte, kaum daß er an Land war.

Das reichte, um einen Haftbefehl gegen ihn zu erwirken. Nur mußte man Stillschweigen über diese Entdeckungen bewahren, um zu verhindern, daß der Mörder sich ins Ausland absetzte.

Das gelang. Canuts Bruder schöpfte keinerlei Verdacht, und Pierre konnte ergriffen werden, sobald sein Schiff eingelaufen war, wobei es zu Protesten der Menge kam.

Bleibt nachzutragen, daß er nach anfänglichem Leugnen schließlich eingestand, in jener Nacht die Villa des Mouettes aufgesucht zu haben.

Woraus man nach unserer Auffassung schließen darf, daß er sich auf dem besten Weg zu einem umfassenden Geständnis befindet.

3

Die Leute hätten es nicht für möglich gehalten, und doch konnte eine einfache Bemerkung von Monsieur Pissart genügen – er pflegte sie mit ärgerlicher Miene zu machen, wodurch sie noch an Tragweite gewann –, um das Selbstbewußtsein von Pierre Canut zu erschüttern. Schon als er sich auf seine Examina vorbereitet hatte, war er oft von Niedergeschlagenheit ergriffen worden.

»Es ist zu schwer für mich! Und wie kannst du glauben, daß ich bestehe, wo doch immer alles gegen uns gewesen ist?«

Gewiß, einen Augenblick später, wenn Charles ihm wieder Mut gemacht hatte, dachte er nicht mehr daran. Trotzdem war er kein so robuster und von sich überzeugter Bursche, wie man dachte.

Aus diesem Grunde wurde Charles' Ungeduld mit fortschreitender Zeit zu einer fast körperlichen Angst.

»Weiß nicht! Versuchen Sie es links am Ende des Ganges...«

Er wandte sich dorthin, zog höflich seine Mütze, als er sich an einen Amtsdiener wandte, der sich nicht die Zeit nahm, ihn zu Ende anzuhören.

»Hier sind Sie beim Handelsgericht. Wenden Sie sich an die Staatsanwaltschaft.«

Begonnen hatte er, als die Gänge noch ausgestorben

waren. Jetzt waren überall feuchte Spuren auf den Fliesen, Leute in schwarzen Roben, die sich ungezwungen bewegten, und andere Leute, Leute wie Canut, die die Inschriften über den Türen entzifferten und am liebsten fortgegangen wären.

»Ich möchte zu Richter Laroche.«

»Weißt du, ob er heute kommt?«

»Würde mich wundern.«

»Hören Sie, meine Herren, es ist sehr wichtig. Ich bin der Bruder von dem Canut, der gestern in Fécamp verhaftet worden ist. Ich muß ihn unbedingt sehen.«

»Wen? Ihren Bruder?«

Diese Leute waren doch Menschen wie er, die sicherlich Sorgen hatten wie er, die sich wie er mit den Schwierigkeiten ihres Daseins, den Widrigkeiten der Welt herumschlugen. Warum rauchten sie ihre Zigaretten gleichgültig weiter, warum unternahmen sie nichts, nahmen sie sich nicht einmal ein paar Sekunden Zeit, um ihm zu helfen?

»Während der Untersuchung werden Sie ihn sicher nicht zu sehen bekommen. Aber warten Sie ruhig auf den Richter, wenn Sie Lust dazu haben. Wenn er kommt!«

Ohne sich an seiner Anwesenheit zu stören, begannen die Amtsdiener daraufhin, sich ungeniert über ihre nicht unbedingt erfreulichen Privatangelegenheiten zu unterhalten, und sie fanden nichts dabei, Charles Canut zweieinhalb Stunden lang gequält auf einer Bankecke sitzen zu sehen. Einige Male hätte er vor Wut fast losgeschrieen.

Vielleicht würde wenigstens der Richter verstehen,

daß er seinen Bruder unbedingt sehen mußte. Pierre würde den Mut sonst völlig sinken lassen, und wer weiß, zu welch verzweifelter Tat er sich dann würde hinreißen lassen? Charles würde ihn nicht lange über das Verbrechen ausfragen müssen. Er würde einfach sagen:

»Du warst es doch nicht, oder?«

Dann würde er sofort Bescheid wissen. Außerdem konnte es gar nicht Pierre sein. Wenn Pierre jemanden getötet hätte, hätte er es nicht mit einem Messer gemacht. Schon gar nicht auf diese Weise, indem er die Kehle des Opfers durchschnitten hätte. Pierre hätte auch nichts mitgenommen, vor allem keine Wertpapiere und kein Geld!

Nur mußte das dem Richter klargemacht werden, und Pierre war dazu nicht in der Lage. Er würde die Fragen kaum beantworten, zu Boden blicken und sich fragen, was man von ihm wollte.

»Glauben Sie, daß er noch kommt?«

Vier Uhr! Halb fünf! Einer der beiden Männer war jetzt damit beschäftigt, mehr oder minder offizielle Papiere zu lesen, während der andere, die Hände hinter dem Rücken, auf den Hof blickte.

»Warten Sie! Da ist ein Gefängniswagen. Vielleicht ist er da drin.«

Doch nein! Das Fahrzeug wurde in einer Ecke des Hofes geparkt, ohne daß jemand ausstieg. Sein Fahrer begab sich in das Bistro gegenüber, um etwas zu trinken.

In Fécamp hatte Charles an all dies nicht gedacht. Er

hatte beschlossen, nach Rouen zu fahren, um seinen Bruder zu sehen, und sich nichts von der Riesenmaschinerie träumen lassen, in die er jetzt geraten war. Er fühlte sich ein wenig an das Militärkrankenhaus erinnert, wo man ihn einmal mit nacktem Oberkörper zwei Stunden auf einem Flur vergessen hatte.

»Was machen Sie da?« war er dann angefahren worden, »was denken Sie sich dabei, sich nicht wieder anzuziehen?«

Und ständig der Gedanke, daß Pierre inzwischen vielleicht...

Er wagte nicht, aufzustehen und auf den paar Quadratmetern grauen Parketts hin und her zu gehen. Beim leisesten Geräusch horchte er auf, und vier- oder fünfmal fuhr er zusammen. Jemand ließ sich vom Amtsdiener einen Stoß Briefe geben, ging dann den Flur entlang und trat in ein Büro ein.

Doch ehe Charles aufstehen konnte, hatte ihm der Amtsdiener schon durch eine Handbewegung zu verstehen gegeben, daß es sich nicht um Monsieur Laroche handelte. Ab und zu klingelte es. Vor den Fächern eines Glaskastens fielen weiße Scheiben herab. Ein kleiner, kühl wirkender Mann kam vorbei, und Canut hörte ein respektvolles:

»Guten Tag, Herr Staatsanwalt.«

Warum arbeiteten diese Leute nicht zu bestimmten Zeiten wie alle anderen, und warum konnte man sie nicht sprechen? Jetzt kamen zwei Männer in angeregtem Gespräch. Beim Eintritt in ein Büro waren sie bemüht, einander höflich den Vortritt zu lassen. Der Amtsdiener trat zu Canut.

»Sie können ja auf alle Fälle einen Zettel ausfüllen.«

»Was für einen Zettel?«

»Schreiben Sie Ihren Namen auf und den Grund Ihres Besuchs.«

Das tat er. Nachdem er seinen Namen geschrieben hatte, fügte er hinzu: »Ich muß mit Ihnen unbedingt über meinen Bruder sprechen.« Er dachte nach und fügte hinzu: » ... der unschuldig ist!«

Jetzt erhob er sich. Als sich die Bürotür öffnete, hörte er die Stimmen des Richters und seines Begleiters. Dann vernahm er ganz deutlich die Frage:

»Was ist das?«

Der Amtsdiener hatte die Tür nicht geschlossen. Der Richter las offensichtlich den Zettel und murmelte dann, an seinen Begleiter gewandt:

»Ausgerechnet sein Bruder will mich sprechen.«

»Empfangen Sie ihn?«

Zu denken, daß er alles hörte und nicht eingreifen konnte. Zu denken, daß er nur ein paar Schritte hätte tun brauchen, daß es ganz einfach war, daß er seit Stunden wartete und daß er sich nicht rühren durfte!

»Sagen Sie ihm, daß ich ihn vorladen werde, wenn ich mich dazu entschlossen habe, ihn zu verhören.«

Charles sah den Amtsdiener zurückkommen, dem dieser Auftrag keineswegs Verlegenheit bereitete. Er wiederholte die Worte des Richters, als handle es sich um irgendeine Belanglosigkeit.

»Nun, worauf warten Sie?«

Auf nichts! Worauf hätte er auch warten sollen? Er hatte das Unglück eben gepachtet! Und wie stets das Bewußtsein, es nicht zu verdienen.

Selbst in Fécamp, selbst in der Nachbarschaft sagten die Leute gedankenlos »die Canuts«, wie sie sagten »die Lachaumes« oder »die Bertrands«.

Hatten sie auch nur die leiseste Ahnung, was es hieß, geboren zu werden, wie sie geboren worden waren, von einer Mutter in den Schlaf gewiegt zu werden, die stundenlang weinte und mit klagender Stimme Selbstgespräche führte?

Gewiß kam Madame Lachaume, ihre Schwester, die die Kleinen Tante Louise nannten, von Zeit zu Zeit nach dem Rechten zu sehen, doch war es eben nur eine Tante, und in der weißen, mit süßen Sachen angefüllten Konditorei waren die Kinder nicht zu Hause!

Wußten die Leute, wie ihnen zumute gewesen war, als die Familie bei einer Krise, die heftiger verlaufen war als die anderen, zusammengekommen war und erörtert hatte, ob man die Mutter in eine Anstalt bringen sollte?

Wie ihnen zumute gewesen war, wenn die Kinder in der Schule fragten:

»Stimmt es, daß dein Vater aufgegessen worden ist?«

Und dann die schlimmsten Augenblicke, Augenblicke, die man nicht in Worte fassen konnte, wenn sie jeweils als kleine Buben beim Reeder der »Télémaque« geklingelt und um ein bißchen Geld gebeten hatten, nur um die Miete zahlen zu können...

Und diese Gewißheit, die sie nie und nirgendwo verließ, daß sie anders als die anderen Menschen waren...

Inmitten des großen Gangs des Justizpalastes öffnete Charles die Augen wieder und war einen Augenblick lang unschlüssig. Hinter einer mit Schnitzereien verzierten Tür hörte er die gepflegte Artikulation eines Anwalts. Andere sah er in ihren schwarzen Roben auf einer Bank sitzen, als wären sie einfache Klienten. Dann erblickte er einen, der nicht nach einem Stadtmenschen aussah. Klein, dick und rosig war er, sah gutmütig aus und trug seine Robe wie einen Bauernkittel. Charles trat auf ihn zu und zog seine Mütze.

»Entschuldigen Sie, Herr Anwalt...«

»Setzen Sie Ihre Mütze auf. Haben Sie eine Vorladung?«

»Nein, es geht um meinen Bruder...«

Es war ihm peinlich, in aller Öffentlichkeit zu sprechen, vor zwei oder drei Leuten, die ihm zuhörten, aber er wagte nicht um ein Gespräch unter vier Augen zu bitten.

»Ich bin Charles Canut aus Fécamp. Mein Bruder ist gestern verhaftet worden. Der Untersuchungsrichter wollte mich nicht empfangen.«

Auf mehr als drei Spalten hatten die Zeitungen am Morgen darüber berichtet, und trotzdem drehte der Anwalt sich mit einem fragenden Blick zu einem seiner Kollegen um. Der andere nickte, dann sagte er:

»Man hat einen Pflichtverteidiger bestimmt.«

»Wen?«

»Ich glaube, den kleinen Abeille.«

»Hören Sie, mein Freund. Man hat einen Pflichtverteidiger bestimmt, Rechtsanwalt Abeille.«

»Wissen Sie, wo ich ihn finden kann?«

Wieder blickten sie sich an.

»Hat er nicht einen Prozeß in der ›dritten‹?«

»Nein. Ich frage mich, ob er nicht nach Fécamp gefahren ist.«

Dann zu Charles:

»Jedenfalls finden Sie seine Adresse im Telefonbuch. Sie brauchen ihn nur anzurufen.«

Damit war es vorbei! Einen winzigen Augenblick lang hatte man ihm Interesse entgegengebracht, und damit war es genug. Hartnäckig versuchte er eine halbe Stunde lang, Monsieur Abeille in den Gängen des Justizpalastes zu finden, in der heimlichen Hoffnung, an irgendeiner Ecke plötzlich dem Untersuchungsrichter gegenüberzustehen.

Er fühlte sich schuldig, obwohl er alles tat, was in seiner Macht stand. Er nahm es sich übel, daß er den Vorabend Babettes wegen im Amiral verbracht und sich vor seiner Abreise nicht einmal von seiner Mutter verabschiedet hatte.

Von einem Café aus rief er bei Monsieur Abeille an. Eine Hausangestellte teilte ihm mit, sie wisse nicht, wann der Anwalt zurückkomme.

»Wahrscheinlich zum Abendessen«, meinte sie, »aber sicher ist es nicht. Morgen früh, gegen zehn Uhr, treffen Sie ihn ganz gewiß an.«

Was konnte er noch versuchen? Er wußte nicht genau, ob Filloux auch noch am folgenden Tage bereit sein würde, ihn auf dem Güterbahnhof zu vertreten.

Zu Abend aß er in seinem Hotel, das eher ein Wirtshaus war und vor allem von Markthändlern aufgesucht wurde. In der Gaststube hatten einige ihre Hühnerkäfige abgestellt. Man hörte die Tiere gackern.

Die Mahlzeiten wurden auf braunen Wachstüchern aufgetischt. Das Mädchen band sich abends eine saubere Schürze um, nachdem sie ihre Hände einer Reinigung mit der Bürste unterzogen hatte.

Charles war daran gewöhnt, Stunden reglos in einer Caféecke zuzubringen, doch an diesem Abend glaubte er einige Male, er müsse aufspringen und vor Wut losschreien. Viele Gedanken gingen ihm durch den Kopf, einer unangenehmer als der andere, so auch der, daß Babette um diese Zeit im Amiral die Gäste bediente und daß ganz sicher welche darunter waren, die mit ihr scherzten.

Gewiß war Tante Louise oder die Kusine Berthe bei seiner Mutter. Vielleicht hatten sie sie auch zu sich geholt, wo ein Zimmer leer stand, seit der Sohn seinen Militärdienst in den Alpen leistete.

Aber Pierre?

»Nein«, sagte er laut und erhob sich.

Nein! Man durfte seinen Bruder einfach nicht im Gefängnis behalten! Er mußte irgend etwas tun. Und zwar sofort!

Wieder rief er bei Monsieur Abeille an. Eine Männerstimme meldete sich.

»Hallo! Hier spricht Charles Canut, der Bruder von Pierre. Ich bin in Rouen und würde Sie gerne sehen.«

»Wann?«

»Sofort, wenn es geht. Pierre hat nichts getan, und...«

Die Stimme am anderen Ende der Leitung sprach zu irgend jemandem.

»Können Sie denn nicht morgen früh kommen?«

»Ich möchte Sie jetzt sprechen.«

»In Ordnung. Ich stehe Ihnen ein paar Minuten zur Verfügung.«

Er fühlte sich schon viel leichter, als er durch die Straßen lief. Er kam vor ein großes Haus auf den Kais, wo ihm gesagt wurde, er müsse mit dem Fahrstuhl in den dritten Stock. Dann stand er der Hausangestellten gegenüber, die auf seinen ersten Anruf geantwortet hatte und die ihn neugierig musterte.

»Sie sind Charles Canut? Warten Sie einen Augenblick.«

Sie ließ ihn in der Eingangstür stehen und stieß eine Tür auf, hinter der offensichtlich eine fröhliche Feier stattfand. Gedämpftes Lachen war zu hören, Gläserklirren. Es roch nach Zigarrenrauch.

»Führen Sie ihn in mein Arbeitszimmer. Ich komme.«

Für diese Leute war das wohl nichts. Sie nahmen sich die Zeit, ihr angefangenes Gespräch zu beenden, während Charles warten konnte, aufrecht, die Eisenbahnermütze zwischen den Fingern. Er fuhr zusammen, als er hinter sich schließlich eine junge, heitere Stimme hörte.

»Entschuldigen Sie, wenn ich Ihnen nicht viel Zeit widmen kann, aber ich habe heute abend ein kleine Gesellschaft.«

Sie betrachteten sich. Vielleicht beide gleichermaßen erstaunt. Canut konnte es nicht fassen, daß er sich einem jungen Mann gegenüber sah, der noch nicht einmal dreißig zu sein schien und kaum wie ein Anwalt aussah, eher wie ein Tänzer. Dieser wiederum hatte alles andere als einen kleinen, schüchternen Beamten erwartet.

»Setzen Sie sich! Ich will Ihnen gleich gestehen, daß ich noch keinen Einblick in die Akte bekommen habe. Ich weiß also nichts, außer dem, was in den Zeitungen gestanden hat. Morgen komme ich mit dem Richter zusammen, auch mit Ihrem Bruder.«

Und schon hatten sie sich nichts mehr zu sagen. Der Anwalt wartete und zündete sich seine Zigarre wieder an. Er reichte seinem Besucher ein Zigarettenetui. Dieser stammelte:

»Danke, ich rauche nicht.«

»Also, was wollten Sie mir sagen?«

»Nun, mein Bruder ist unschuldig.«

Der andere zuckte die Achseln, als wolle er sagen: »Natürlich, das habe ich erwartet.«

Dann:

»Gibt es ein Alibi?«

»Ich weiß nicht. Deswegen müßte ich ihn sprechen. Es läßt sich schwer erklären. Pierre ist daran gewöhnt, daß ich mich um alles kümmere, vom Fischfang abgesehen und...«

Nebenan lachte eine Frau.

»Also, was wünschen Sie?«

»Ich möchte meinen Bruder sprechen!«

»Hm! Ich kann Ihnen noch nichts Endgültiges sagen, aber wenn man bedenkt, wie die Untersuchung bisher geführt worden ist, bezweifle ich stark, daß Laroche Ihnen die Erlaubnis dazu gibt. Jedenfalls nicht, bevor er ein Geständnis hat!«

»Aber wenn mein Bruder doch unschuldig ist!«

»Gewiß! Gewiß! Aber hören Sie, geben Sie mir Ihre Adresse hier in Rouen. Ich nehme doch an, daß Sie ein paar Tage in Rouen bleiben? Ich kümmere mich morgen darum. Sobald ich etwas für Sie habe, melde ich mich bei Ihnen.«

Er hatte sich erhoben und lächelte in einer Wolke teuren Zigarrenrauchs.

»Ich habe es ziemlich eilig und...«

Seit einigen Augenblicken hatte Charles diesen Blick unter gesenkten Lidern hervor und dieses leichte Hin- und Herwiegen des Körpers, wie sie für die Normannen typisch sind, wenn sie vor einer wichtigen Entscheidung stehen. Eine Sekunde lang zögerte er, doch als er sprach, war seine Stimme fest:

»Ich nehme an, daß ich das Recht habe, einen anderen Anwalt zu wählen?«

Abeille hätte fast seine Zigarre fallen lassen. Seine Lippen zitterten. Um Zeit zu gewinnen, stotterte er:

»Was wollen Sie damit sagen?«

»Daß ich in dem Augenblick, da ich zahle, das Recht auf einen Anwalt habe, der mir paßt.«

»Versuchen Sie es, wenn es Ihnen Spaß macht.«

Abeille lächelte gezwungen und ging zur Tür.

»Ja, ich kann Ihnen nur raten, es zu tun. Das wird einen ausgezeichneten Eindruck auf die Richter machen! Ganz zu schweigen davon, daß Sie sicherlich einige Mühe haben dürften, einen Kollegen zu finden, der sich dazu bereit findet... Guten Abend, Monsieur! Hier entlang! Die Tür dort rechts. Das wär's wohl!«

Heftig warf er die Tür hinter Charles Canut ins

Schloß, während dieser, trotz allem ein wenig erleichtert, langsam die Treppe hinabstieg.

Vielleicht war es Absicht? Vielleicht Zufall? Jedenfalls hatte man Pierre Canut den ganzen Tag in seiner Zelle gelassen, ohne daß er jemanden zu Gesicht bekommen hätte außer seinem Wärter. Dann kam die Nacht, und erst um zehn Uhr morgens hatte sich die Tür geöffnet.

»Folgen Sie mir!«

Er war unrasiert und hatte nicht daran gedacht, sich zu waschen. Immer noch trug er seine Bordkleidung – ein Wollhemd, ein Unterhemd aus Flanell, einen dicken Pullover und darüber das Ölzeug, das ihn untersetzt erscheinen ließ.

»Steigen Sie ein!«

Er realisierte kaum, daß er in einem Gefängniswagen Platz nahm. Dann wurde er hin- und hergeschüttelt, weil man durch Straßen mit holprigem Pflaster fuhr. Er hörte vertraute Geräusche, den Lärm einer Straße, die ihr morgendliches Leben entfaltete, die Rufe der Händler und Gemüsefrauen, Hundegebell, eine Kirchenglocke, Hupen.

Als die Tür geöffnet wurde, stieg er aus und wurde von einem Sonnenstrahl überrascht, der schräg in den Hof des Justizpalastes einfiel und der – gebündelt und hell, wie er war – jenen goldenen Strahlen ähnelte, die in den Meßbüchern die Gesichter der Heiligen beleuchten.

Keine zehn Meter hatte er zurückgelegt, da wurde er von Fotografen umringt, die rückwärts laufend ihre Kameras in Anschlag brachten.

Er rührte sich nicht, und doch hatte man den Eindruck, daß er trotz der Handschellen, die man ihm am Morgen wieder angelegt hatte, die zudringliche Menge mit ein paar Faustschlägen oder Schulterstößen hätte auseinandertreiben können.

Er stieg Treppen hoch, durchschritt Türen, setzte sich zwischen zwei Wächtern auf eine Bank und wartete.

Eine Viertelstunde später eilte ein junger Anwalt in Robe hastig vorbei und trat in ein Büro. Dann öffnete sich die Tür zu diesem Büro, und Pierre Canut wurde hineingestoßen.

»Setzen Sie sich!« ließ sich die ausdruckslose Stimme von Monsieur Laroche vernehmen, »dies ist der Anwalt, der von der Anwaltskammer offiziell zu Ihrer Verteidigung bestellt worden ist.«

Canut betrachtete Monsieur Abeille, der mit wichtiger Miene die Akte öffnete, allerdings ohne etwas zu sagen. Dann warf er dem Protokollführer einen raschen Blick zu. Der war ihm von den dreien noch am sympathischsten.

»Ich werde Ihnen einige Fragen stellen und bitte Sie, sich Ihre Antworten gut zu überlegen. Wenn nötig, haben Sie das Recht, sich mit Ihrem Verteidiger zu beraten.«

Am erstaunlichsten war, daß Canut nicht zuhörte. Er machte das nicht absichtlich. Die Laute drangen an sein Ohr, doch hatte er Mühe, sie zu Worten zusammenzufügen und sich ihren Sinn zu vergegenwärtigen. In diesem Augenblick dachte er beispielsweise:

»Das muß ein Mann wie Monsieur Pissart sein.«

Warum der Richter ein Mann wie Pissart war, hätte er nicht zu sagen gewußt, aber er hatte das Gefühl, daß es so war.

»Eine erste Frage, die recht heikel ist, die ich aber stellen muß. Stimmt es, daß Ihre Mutter, sei es zu Recht oder zu Unrecht, Monsieur Février stets die Schuld am Tode ihres Gatten gegeben hat?«

Canut seufzte. Er ahnte, daß man alles unnötig kompliziert machen würde, wo es doch so einfach gewesen wäre, ihn zu fragen...

»Antworten Sie!«

»Warum fragen Sie mich danach, wo es doch alle Welt weiß?«

»Gut! Schreiben Sie, daß der Beschuldigte den Sachverhalt bestätigt. Ich möchte Sie jetzt fragen, ob die Anklage, die Ihre Mutter erhob, nicht ganz besonders schrecklicher Art war. Ging es dabei nicht um Kannibalismus?«

Der Anwalt rutschte unruhig auf seinem Stuhl hin und her, wollte seine Gegenwart in Erinnerung rufen, doch Canut hatte bereits gelassen geantwortet:

»Na und?«

»Protokollführer, schreiben Sie, daß der Beschuldigte den Sachverhalt bestätigt.«

Und der Richter blätterte eine Zeitlang die Berichte durch, hielt bei einem inne.

»Ich lese hier, daß es in den zwei Jahren, seit Monsieur Février sich wieder in Fécamp niedergelassen hatte, häufig zu Auftritten zwischen ihm und Ihrer Mutter kam, obwohl er sich bemühte, seiner Feindin aus dem Weg zu gehen.«

Canut mußte lachen.

»Meine arme Mutter ist verrückt!«

»Warten Sie! Vor zwei Monaten hat Ihr Bruder Monsieur Février einen Brief geschrieben, der im Schreibtisch des Opfers gefunden wurde und der in die Akte aufgenommen worden ist.«

Lebhaft hob Canut den Kopf, da er von diesem Brief nichts wußte.

»Möchten Sie, daß ich ihn vorlese? Er ist ziemlich lang. Ihr Bruder erinnert an die Ereignisse von früher und bittet Monsieur Février mit einer beinahe drohenden Eindringlichkeit, die Stadt zu verlassen, um neue Zwischenfälle zu vermeiden, die der Gesundheit seiner Mutter schaden könnten. Nun kam es aber am einunddreißigsten Januar, als Sie auf See waren, zu einem erneuten Zusammenstoß auf offener Straße. Ihre Mutter folgte dem einstigen Seemann wie gewöhnlich dicht auf den Fersen, und dieser konnte dem lästigen Auftritt nur dadurch ein Ende machen, daß er sich in einem Laden einschloß.«

»Pardon«, hob der Anwalt an.

»Lassen Sie ihn sprechen!« unterbrach Canut ihn barsch.

»Aber...«

»Geht das mich an oder Sie?«

Und zum Richter gewandt:

»Fahren Sie fort!«

War es nicht merkwürdig, daß er trotz der ernsten Situation, in der er sich befand, auf die Sirenen der Schiffe im Hafen lauschte? Er ertappte sich sogar dabei, daß er die Gezeiten berechnete.

»Am Abend nach diesem Auftritt schrieb Ihr Bruder einen zweiten Brief, der kürzer als der vorhergehende war. Er lautete folgendermaßen: ›Es ist unbedingt erforderlich, daß Sie Fécamp verlassen, und ich hoffe, daß Sie es dieses Mal begreifen.‹ Ich gestehe, daß es mir schwerfällt, diese Nachricht nicht als kaum verhohlene Drohung zu verstehen.«

Als ob Charles fähig gewesen wäre, irgend jemanden zu bedrohen!

»Ich vermute, daß Monsieur Février Ihnen daraufhin ins Café de l'Amiral geschrieben hat, vielleicht in der Meinung, daß Sie sich vernünftiger als Ihr Bruder zeigen würden. Der Brief wurde Ihnen am zweiten Februar um acht Uhr abends ausgehändigt. Gegen elf Uhr haben Sie an der Tür der Villa des Mouettes geläutet. Es steht zu vermuten, daß das Gespräch anfangs freundschaftlich verlief, da Ihr Gastgeber Ihnen etwas zu trinken angeboten hat. Dennoch haben Sie ihn ein wenig später ermordet und den Inhalt seines Sekretärs mitgenommen, nämlich Wertpapiere und Bargeld im Werte von ungefähr dreißigtausend Francs.«

»Erlauben Sie?« begann der Anwalt.

»Natürlich, Herr Verteidiger.«

»Ich würde gern wissen, auf welche Anhaltspunkte Sie Ihre Behauptung stützen, daß mein Klient...«

»Schon gut!« knurrte Pierre Canut und kratzte sich den Kopf.

Denn so würden sie nicht weiterkommen. Sie faßten es ganz falsch an. So würde man möglicherweise stundenlang hin und her reden, ohne irgend etwas zu erreichen. Und selbst wenn man es anders versuchte . . .

Die Wirklichkeit schien ihm unendlich fern in diesem düsteren Büro, wo sich der Anwalt gerade eine Zigarette angesteckt hatte und wo er sich ständig wehtat, weil er seine Handschellen vergaß.

»Wollen Sie, daß ich Ihnen erzähle, was passiert ist?«

»Einen Augenblick! Ich habe Ihnen noch einige Fragen zu stellen. Anschließend haben Sie das Wort, obgleich ich glaube, daß es dann nicht mehr notwendig sein wird. Geben Sie zu, daß das Matrosenmesser, mit dem dem Opfer die Kehle durchschnitten wurde, Ihrem Vater gehört hatte und seine Initialen trug?«

»Février hat es mir gesagt.«

»Wie bitte?«

»Février hat es mir gesagt, als er es aus seinem Schrank holte und mir zeigte. Er hat angeboten, es mir zu geben.«

»Verzeihen Sie, aber darüber können wir uns später unterhalten. Protokollführer, schreiben Sie, daß der Beschuldigte zugibt, daß das Messer . . .«

»Ich muß Sie meinerseits um Verzeihung bitten«, fiel der Anwalt mit ausgesuchter Höflichkeit ein, »ich bitte sehr um Entschuldigung, Herr Richter, daß ich anderer Meinung bin als Sie, aber mein Klient hat nicht gesagt . . .«

Worauf Canut, um die Sache hinter sich zu bringen, knurrte: »Aber ja doch, ich habe es gesagt!«

Instinktiv war ihm Abeille zuwider. Er hätte ihm auch aus bloßer Dickköpfigkeit widersprochen.

»Noch zwei Fragen, und wir sind für heute fertig. Die Polizisten, die Ihre Kabine durchsucht haben, haben einen ungewöhnlichen Tabaksbeutel gefunden. Er besteht aus einer Schweinsblase, die von einem feingeknüpften Netz umgeben ist, das nur von einem Seemann angefertigt worden sein kann. Geben Sie zu ...«

»Es ist der Tabaksbeutel meines Vaters. Zumindest hat Février ...«

»Ist dieser Beutel schon immer in Ihrem Besitz gewesen?«

»Nein!«

»Wann ist er in Ihre Hände gelangt?«

»Février hat ihn mir gegeben.«

»In der Nacht, in der er sterben sollte? Vielleicht zur selben Zeit, als er Ihnen auch das Messer gegeben hat?«

»Ja«, lautete die schlichte Antwort. Pierre Canut begann der Kopf zu schmerzen, und er hätte gerne geraucht.

»Nun die letzte Frage. Warum haben Sie zunächst geleugnet, als der Kommissar Sie gefragt hat, ob Sie Monsieur Février besucht hätten?«

Er hob die Schultern und seufzte:

»Deswegen!«

»Weswegen?«

»Deswegen!«

»Sie sehen, Herr Verteidiger, daß Ihr Klient ...«

»Kann ich jetzt sprechen?« meinte Pierre fast bissig.

»Sprechen Sie. Ich mache Sie aber darauf aufmerksam, daß jedes Ihrer Worte festgehalten wird.«

Gern wäre er aufgestanden und auf und ab gegangen, um sich die Beine zu vertreten. Vor allem wäre er gern die ekelhaften Handschellen losgeworden, an die er immer erst dachte, wenn er eine Handbewegung machte.

»Viel ist nicht zu berichten«, knurrte er, ziemlich aggressiv, weil er von vornherein wußte, daß man ihn doch nicht verstehen würde. »Als ich an jenem Abend an Land ging, hat Babette mir einen Brief gegeben. Der Alte bat mich darin, ihn zu besuchen. Er hatte hinzugefügt, daß er mir etwas Wichtiges zu sagen habe.«

»Haben Sie diesen Brief noch?«

»Nein!«

»Können Sie uns sagen, was Sie mit ihm gemacht haben?«

»Was weiß ich? Was macht man mit einem Brief, nachdem man ihn gelesen hat? Wahrscheinlich hab ich ihn ins Wasser geworfen.«

»Fahren Sie fort!« meinte der Richter zufrieden.

»Ich bin hingegangen. Ich habe vermutet, daß meine Mutter wieder Dummheiten gemacht hat.«

»Bitte? Teilen Sie denn die Gefühle Ihrer Mutter für Monsieur Février nicht?«

Canut sah ihn an, ohne etwas zu sagen.

»Sie weigern sich also, auf meine Frage zu antworten?«

Beinahe hätte er gesagt:

»Sie ist zu dumm!«

Was wußte der schon! Sein Bruder und er hatten nur den einen Wunsch: nicht mehr an die Tragödie denken zu müssen, die sich vor ihrer Geburt ereignet und ihr Leben vergiftet hatte.

»Kann ich fortfahren?«

»Wenn Sie möchten.«

»Ich bin hingegangen, ohne meinem Bruder etwas davon zu sagen.«

»Warum?«

»Weil er kein Seemann ist.«

»Ich verstehe nicht!«

»Ihr Pech! Für mich ist das ganz klar! Es war besser, wenn Février und ich uns von Mann zu Mann aussprachen, von Seemann zu Seemann. Er ließ mich herein. Er sah schlecht aus und hat mir sofort etwas zu trinken angeboten.«

»Und Sie, Canut, der Sohn jenes Canut, der im Rettungsboot der ›Télémaque‹ gestorben ist, Sie waren bereit, anzustoßen mit...«

»Reden Sie doch nicht von Dingen, von denen Sie nichts verstehen!«

Am liebsten hätte er gar nichts mehr gesagt. Es führte ja doch zu nichts! Dann entschloß er sich, noch einen Versuch zu machen.

»Ich sage Ihnen nochmals, wir waren unter Männern. Der Alte hat mir dann gleich erklärt, daß er fortziehen und seine Villa verkaufen wolle.«

»An wen?«

»Was weiß ich? Das ging mich nichts an!«

»Ich frage Sie deshalb, weil wir in den Papieren des Verstorbenen keinen Hinweis darauf gefunden haben, daß die Villa verkauft werden sollte. Das wollte ich Ihnen nur sagen. Sie können fortfahren.«

Genau in diesem Augenblick vernahm er wieder zwei Sirenentöne von einem Dampfer, der die Seine hinabfuhr und der noch vor Abend auf hoher See sein würde!

»Sprechen Sie!«

»Glauben Sie, daß es einen Zweck hat?«

»Ich bitte Sie«, drängte der Anwalt.

Canut sah ihn an, als wollte er sagen:

»Langsam gehst du mir auf den Wecker!«

Dann seufzte er:

»Er hat mir alles erzählt.«

»Was alles?«

»Die Geschichte der ›Télémaque‹. Und alles andere, sein Leben danach... Und daß mein Vater, der noch sehr jung gewesen war, gleich nach der Geschichte mit dem Engländer durchzudrehen begonnen hatte.«

»Was war genau passiert?«

Pierre schüttelte den Kopf.

In der Villa, unter Männern – wie er sich ausdrückte –, ja, da konnte man davon sprechen, aber nicht hier, in Anwesenheit dieses Abeille, den es schon schauderte und der sich eine neue Zigarette ansteckte, als könne er dann besser genießen, was da kommen sollte.

»Er hat dann einen Sekretär geöffnet...«

»Den, in dem sich das Geld befand.«

»Vielleicht. Er hat ein Messer und einen Tabaksbeutel herausgeholt. Dann hat er mir die Initialen gezeigt und mir gesagt, ich solle diese Dinge an mich nehmen, da sie meinem Vater gehört hätten. Er hat mir geschworen, er sei unschuldig. Mein Vater hätte sich im Fieber selbst die Pulsader geöffnet.«

»Sie haben das natürlich geglaubt?«

»Ich habe es geglaubt.«

»Und dann sind Sie gegangen und haben das Messer auf dem Tisch zurückgelassen?«

»Genau so war es. Als ich ging, war mir übel von dem, was ich gerade gehört hatte. Und wenn Sie es genau wissen wollen, ich habe mich an der nächsten Ecke übergeben.«

»Monsieur Février hat Ihnen versprochen fortzugehen?«

»Am übernächsten Tag.«

»Hat er Ihnen gesagt, wohin er gehen wollte?«

»Nein. Aber soviel ich verstanden habe, nach Südamerika, wo er den größten Teil seines Lebens verbracht hat.«

»Sind Sie direkt nach Hause gegangen?«

»Ja.«

»Ohne irgend jemanden zu treffen?«

»Ich weiß nicht. Ich habe nicht darauf geachtet.«

Plötzlich beugte sich der Richter nach vorn und stieß hervor:

»Wo haben Sie die Ledertasche versteckt, in der sich Geld und Wertpapiere befanden?«

Canut verharrte einen Augenblick reglos, zu seiner ganzen Größe aufgerichtet. Dann sackte er auf seinem Stuhl zusammen und sah zu Boden.

»Antworten Sie!«

Er rührte sich nicht.

»Weigern Sie sich zu antworten?«

Ganz leise hatte er es gesagt. Trotzdem hörte man es so deutlich, als hätte er es aus voller Kehle herausgeschrieen, so still war es im Büro, wo nur die Feder des Protokollführers, sirrend wie ein Maikäfer, zu hören war.

»Scheiße!« hatte Canut gesagt und hatte sich zur Wand gedreht.

4

Als Charles Canut zwei Tage später, am Donnerstag, um elf Uhr vormittags in Fécamp aus dem Zug stieg, war er ein anderer Mensch geworden. Er selbst war sich dessen deutlich bewußt, vor allem in dem Augenblick, als er aus dem Bahnhof trat und den Hafen schwer von Regen- und Salzwasser vor sich liegen sah, die schwärzlichen, glitschigen Kais, die unregelmäßig aneinandergereihten kleinen Häuser, Fécamp also, sein ganzes Universum.

In Wirklichkeit aber hatte Canut sich nicht verändert. Er hätte es gar nicht gekonnt. Nach wie vor war er kränklich, ein Trauerkloß, ein Angsthase, wie es ihm jetzt vorkam. Geändert hatten sich die Dinge rund um ihn her, oder vielmehr die Art, wie er sie sah.

Vorher war alles einfach wie eine Kinderzeichnung gewesen: Da war das Häuschen, und es war selbstverständlich, daß er sein ganzes Leben zusammen mit seiner Mutter und mit Pierre darin verbringen würde. Vielleicht würde eines Tages auch noch Babette dazustoßen. Dann war da Tante Louise und die Sonntagnachmittage in dem Raum hinter dem Laden, wo die Torten auf den Sesseln abkühlten. Dies war das Reich der Familie, das man nicht betrat, ohne auf beide Wangen geküßt zu werden und zu hören:

»Wie geht es deiner armen Mutter?«

Längst war der Mensch vergessen, dessen Bild im Salon hing, der junge Mann von vierundzwanzig Jahren mit blondem Schnurrbart, der schon lange tot war.

Sie waren einfach Pechvögel, Benachteiligte, sie waren arm, aber ehrlich, Leute, denen man nichts Schlechtes nachsagen konnte.

Und abgesehen von den Nachbarn und von jenen Menschen, denen man täglich an den gleichen Orten begegnete, gab es nur noch Monsieur Pissart, der zugeben mußte, daß Pierre sein bester Kapitän war, obgleich es in seinen Berichten von Rechtschreibfehlern wimmelte. Dann schließlich die Eisenbahn, ein verschwommenes Wesen, das beschützend über Charles schwebte, und auf das er sich jederzeit berufen konnte.

Jetzt aber war Schluß mit dieser Einfachheit, und Charles Canut hätte nicht sagen können warum. Der Aufbau der Stadt schien komplizierter geworden zu sein. Sein mißtrauischer Blick schien sie nach verborgenen Schandflecken abzusuchen. Wie ein Fremder betrat er den Hof des Güterbahnhofs. An seinem Schreibtisch traf er Filloux an. Nichts kam ihm mehr vertraut vor.

»Nun?« sagte Filloux mit jener Art von Respekt, die man gegenüber Leuten an den Tag legt, die von einem Unglück betroffen sind.

»Was, nun?«

»Was ist mit deinem Bruder?«

»Er ist immer noch im Gefängnis!«

Herausfordernd sagte er das und blickte dem anderen dabei in die Augen. Dann fuhr er beiläufig fort:

»Du kannst bleiben! Ich bitte sofort um Urlaub. Wenn man ihn mir nicht gewährt, nehme ich ihn einfach.«

So war er jetzt! Er würde auch tun, was er sagte! Noch ganz andere Dinge würde er tun, wenn man ihn dazu zwang!

Eigentlich war diese Veränderung am Vortag über ihn gekommen. Am Morgen hatte er sich zum Justizpalast begeben. Statt ihm zu sagen, daß Pierre sich gerade im Büro des Untersuchungsrichters befand, hatte man ihn mit einer ausweichenden Antwort abgespeist. Hätte er das gewußt, so hätte er warten können, um seinen Bruder im Vorbeigehen zu sehen.

Am Nachmittag dagegen war ein Inspektor in Zivil in seinem Hotel erschienen, als er trübselig vor einer Tasse Kaffee saß. Ohne nähere Auskünfte hatte er ihn zum Justizpalast gebracht. Dort ließ man ihn wieder – vielleicht aus Prinzip – in jenem Vorzimmer warten, in dem die verhaßten Amtsdiener saßen.

»Canut, Charles!« ertönte endlich eine Stimme.

Er erhob sich. Eine Tür öffnete sich. Er trat in ein alltägliches Büro ein. Es sah aus wie das von Monsieur Pissart. Dort sah er seinen Bruder, immer noch in Ölzeug, der mit dem Rücken zum Fenster auf einem Stuhl saß.

Was sie beide nicht hätten erklären können, war die Tatsache, daß keiner von ihnen sich rührte. Pierre hob die Augen und schien es ganz normal zu finden, daß sein Bruder da war. Charles blieb stehen, wandte sich zum Richter und zuckte zusammen, als er den Anwalt Abeille erblickte, der triumphierend lächelte.

»Name, Vorname, Beruf?«

In diesem Augenblick hatte er begriffen, daß alles, was er bislang gedacht hatte, falsch war. Er war nicht mehr jener Charles Canut, der sich so viel Mühe gegeben hatte, sich all das anzueignen, was er wußte, noch der Canut, der, ohne daß man es ihm ansah, aus seinem Bruder das gemacht hatte, was er war.

Er war Canut, nicht mehr, ein Name wie jeder andere, ein Mann, aus dem man etwas herausbekommen wollte.

»Wann haben Sie Ihren Bruder das letzte Mal gesehen?«

»Als die Polizei ihn verhaftet hat.«

»Und vorher?«

Gewiß, Monsieur Laroche tat nur seine Pflicht! Er war ein höflicher, korrekter Mann, vielleicht sogar feinfühlig? Trotzdem verkörperte er, wie er da saß, mit seinen gepflegten Händen auf der Akte, dem ein wenig geneigten Kopf, dem ruhigen Blick, alle Unmenschlichkeit, an der sich ein Mensch den Kopf einrennen kann.

Charles wagte nicht, sich Pierre zuzuwenden, um ihm einen fragenden Blick zuzuwerfen. Ein lastendes Schweigen breitete sich aus, das es um jeden Preis zu brechen galt.

»Ich habe ihn selbstverständlich an dem Abend gesehen, an dem die ›Centaure‹ das letzte Mal eingelaufen ist.«

»Am zweiten Februar also?«

»Möglich.«

Man hätte glauben können, daß Pierre nicht zuhörte.

Und plötzlich erblickte Charles die Handschellen. Sie taten ihm buchstäblich an den eigenen Händen weh. Rasch wandte er den Blick ab.

»Um wieviel Uhr?«

Was? Wovon war die Rede? Was für eine Falle stellte man ihm?

»Ich frage Sie, um wieviel Uhr Sie am zweiten Februar den Beschuldigten gesehen haben.«

»Ich weiß nicht mehr.«

»Um Mitternacht?«

Er wollte es verneinen. Aber hatte Pierre nicht vielleicht das Gegenteil behauptet?

»Ich weiß nicht mehr.«

»Wo haben Sie ihn gesehen?«

»Ich weiß nicht mehr.«

»Wußten Sie, daß er Monsieur Février aufsuchen wollte?«

Was sollte er antworten?

»Nein.«

»Er hat Ihnen am nächsten Tag nichts von diesem Besuch erzählt?«

»Nein.«

»Sie haben ihn also am folgenden Tag gesehen, bevor er sich an Bord begeben hat?«

»Nein.«

Das war es, was alles verändert hatte. Diese alltäglichen Dinge und Handlungen, denen plötzlich eine ungeheure Bedeutung beigemessen wurde!

»Haben Sie Ihren Bruder in jener Nacht zurückkommen hören?«

»Nein.«

Er hatte geschlafen. In jener Nacht hatte er keine Ahnung gehabt, daß dieser Schlaf schwerwiegende Auswirkungen haben könnte!

»Haben Sie Ihren Bruder über die beiden Briefe informiert, die Sie Monsieur Février geschickt haben?«

»Nein.«

»Haben Sie Monsieur Février je besucht?«

»Nein.«

Jetzt hätte man ihn alles fragen können, was man wollte – er wäre nicht in der Lage gewesen, etwas anders als *nein* zu antworten. Er wußte nicht mehr ein noch aus. Er hatte den Boden unter den Füßen verloren. Er hätte vor Angst losschreien können. Die Gestalten um ihn her erschienen ihm in ihrer Bewegungslosigkeit bedrohlich wie in einem Alptraum.

In seinem Ölzeug und mit seinem verstockten Gesichtsausdruck wirkte Pierre breit und schwer, größer als normalerweise, so wie man die Menschen im Traum sieht, wenn man mit vollem Magen zu Bett gegangen ist. Maître Abeille trug immer noch sein gefrorenes Lächeln zur Schau, doch sein Gesicht war wächsern, die Haare darüber künstlich. Der Richter hatte alle Körperlichkeit eingebüßt und manchmal verschwand er ganz hinter dem Rauch seiner Zigarette.

»Stimmt es, daß Ihr Bruder und Sie zum Haß auf Monsieur Février erzogen worden sind?«

Was antwortete er? Er wußte nicht mehr, was er sagte. Noch mehr Fragen wurden ihm gestellt. Er mußte etwas unterschreiben. Ganz zum Schluß wandte er sich zu Pierre um, der immer noch dasaß, die Hände auf den Knien. Pierre sah ihn an.

Das war alles. Der Amtsdiener stand an der Tür. Charles ging die Treppen hinab, die mit Zigarettenkippen bedeckt waren.

So hatte es sich zugetragen. So etwas durfte nie wieder vorkommen. Seither war er nur noch damit beschäftigt, diese Stunde zu verarbeiten, die Beklommenheit abzuschütteln, das Gewicht loszuwerden.

Es fiel ihm sogar schwer, Pierre zu sehen, wie er wirklich war. Er versuchte, sich seine Stimme vorzustellen.

Man hatte ihm nichts gesagt. Man hatte ihm nicht gedroht. Doch hatte er genau gespürt, was vorging. Es war wie diese Nebel, die sich langsam herabsenken, die Stadt erdrücken und bis in ihren letzten Winkel dringen.

Sie hatten Pierre! Sie glaubten, auch ihn zu haben! Hatte der Richter nicht sinngemäß gesagt:

»Ich wäre Ihnen dankbar, wenn Sie sich der Justiz zur Verfügung halten würden.«

Nun gut, damit war nun ein für alle Male Schluß! Er war entschlossen, sich von sich selbst zu befreien, von dem unterwürfigen und schüchternen Canut, der er immer gewesen war.

Während er den Kai entlang ging, veränderte sich bereits sein Gesichtsausdruck, wurde härter. Sein Blick war so starr geradeaus gerichtet, daß er einen Kameraden, den er streifte, nicht einmal sah.

Pierre mußte gerettet werden, und nur er konnte das tun! Denn Rechtsanwalt Abeille gehörte zu den anderen, zum feindseligen Nebel.

Nur er war da, er, Charles, er allein.

Plötzlich hatte sich alles verändert. Er näherte sich dem kleinen Haus, in dem er wohnte. Schon sah er den blanken Kupferklopfer, die Vorhänge des einzigen Fensters im Erdgeschoß. Die Tür war grün. Er hatte sie eines Sonntagvormittags angestrichen. Er hatte auch für fließendes Wasser gesorgt, denn er bastelte gern.

Nur näherte sich nicht dieser Charles dem Haus. Drei Häuser weiter sah man die Konditorei Lachaume, das marmorumfaßte Schaufenster, in dem nur einige Kuchen lagen, die Tür, die, wenn sie sich öffnete, eine Klingel auslöste, die keiner anderen Klingel in der Stadt ähnelte.

Dort trat er ein. Niemand war im Laden. Sein Onkel war in der Backstube auf der anderen Seite vom Hof. Aber seine Kusine kam ihm in weißer Schürze entgegen.

»Du bist es?«

In dieser Frage waren wohl alle anderen enthalten.

»Wie geht es Mutter?«

»Sie liegt im Bett. Meine Mutter ist bei ihr. Sie war im Regen draußen und hat sich die Grippe geholt.«

Was für ein Pech! Oder was für ein Glück! Vielleicht war es besser, daß seine Mutter das Bett hütete!

»Was sagen die Leute?«

Argwöhnisch beobachtete er Berthe.

»Sie wissen nicht recht... Sie glauben nicht, daß Pierre imstande gewesen wäre... Willst du nicht etwas essen? Ich muß in die Küche, ich hab ein Ragout aufgesetzt.«

Er war sich sicher, daß sie ihn mit einem gewissen Schrecken, jedenfalls mit einer gewissen Verlegenheit gemustert hatte. Sie hatte also die Veränderung gespürt. Das erfüllte ihn mit Befriedigung. Er ging, ließ die Glocke ertönen, öffnete daheim mit seinem Schlüssel und stieß die Tür zum Salon auf, der nie benutzt wurde und nach Linoleum roch.

In einer Ecke stand ein Klavier, sein Klavier. Er hatte ein Instrument spielen lernen wollen, nicht um einen Beruf daraus zu machen, sondern zum Vergnügen. Er hatte nur sechs oder sieben Stunden genommen.

»Bist du es, Berthe?« kam von oben die Stimme seiner Tante.

»Nein! Ich bin es! Ich komme nach oben.«

Er verspürte das Bedürfnis, überall herumzuschnüffeln, sich umzusehen, als mache er Inventur.

Der Flur war mit Fliesen ausgelegt, seine Wände trugen einen Farbanstrich, der Marmor imitieren sollte, und an seinem Ende befand sich eine Glastür, die zur Küche führte. Auch diese wurde nicht mehr benutzt, weil man sich stets im ersten Stock aufhielt, wo es wärmer war.

Die Stufen knackten. Ein unverwechselbarer, ein wenig fader Geruch. Charles hätte ihn nicht beschreiben können, denn so hatte es bei ihnen immer gerochen.

Auch die Tante, die ihn auf dem Treppenabsatz erwartete, hatte ihren eigenen Geruch, einen Geruch, der ihm widerstrebte, so sehr, daß er sich als kleiner Junge stets geweigert hatte, sie zu küssen.

»Und Pierre?«

Er schüttelte den Kopf und fragte seinerseits:

»Weiß Mama Bescheid?«

Nicken.

»Wer hat es ihr gesagt?«

»Man hätte glauben können, daß sie es geahnt hat.«

»Bist du es, Charles?« fragte eine Stimme vom Bett her.

Er trat ein, noch bedrückter als gewöhnlich, als habe sich in dieser einen Minute die ganze Traurigkeit des Hauses zusammengeballt, als sei sie ihm erst in dieser Minute bewußt geworden.

»Guten Tag, Mutter.«

Er beugte sich hinab und küßte sie auf die Stirn, sah, daß sie ruhig blickte, daß ihre Augen tränenlos waren. Sie war also bei klarem Verstand.

Überrascht war er auch, daß seine Mutter so jung aussah. Er betrachtete Menschen und Dinge wie nach einer langen Reise, obwohl er nur drei Tage fortgewesen war.

»Hast du ihn gesehen?« fragte sie. Sie hatte eine Stimme wie ein kleines Mädchen, das Angst hat, daß man mit ihm schimpft.

So war sie zwischen den Krisen. Sie machte sich ganz klein, schien die Leute für all die Unannehmlichkeiten um Verzeihung zu bitten, die sie ihnen einbrockte. Sie versteckte sich, wenn sie weinte.

»Ich habe ihn gesehen.«

»Behalten sie ihn dort?«

»Lange werden sie ihn nicht behalten!« stieß er zwischen den Zähnen hervor.

Es nahte wieder eine Krise, und sie stammelte:

»Es ist meine Schuld. Aber ich weiß genau, daß Pierre ihn nicht getötet hat ... Charles! Pierre!«

In diesen Augenblicken fühlte sie wohl den Wahnsinn nahen und rief sie zu Hilfe.

»Pierre! Ich schwöre dir, daß ich nicht gewollt habe...«

»Wenn du mich im Moment nicht brauchst, kann ich kurz nach Hause laufen«, sagte Tante Louise.

»Aber ja doch!«

»Pierre! Nein, es ist ja Charles... Ich muß zu den Richtern. Mir werden sie glauben, ich...«

Sie lag im Ehebett aus Nußbaum, über das eine selbstgehäkelte Decke gebreitet war. Rechts stand ein großer Spiegelschrank. Die Tapete war mit roten und gelben Blümchen übersät. Als Charles klein gewesen war, hatte er in ihnen jeweils das Gesicht seines Vaters entdeckt, wenn er seine Augen zusammenkniff.

»Versuch zu schlafen, Mutter. Pierre wird nicht im Gefängnis bleiben. Heute abend muß ich ihm Kleider schicken.«

Er würde Tante Louise bitten, sich weiter um die Mutter zu kümmern. Er hatte keine Zeit dazu. Ganz abgesehen davon, daß er dann keine Möglichkeit hatte, irgend etwas zu unternehmen.

Es war nicht weiter tragisch, da er daran gewöhnt war. Aber von einem Augenblick auf den anderen würde sie aufstehen wollen und ihren endlosen Monolog beginnen.

»Beruhige dich, Mutter! Ich mach dir etwas zu essen.«

»Es ist Schinken im Schrank. Louise hat eine Torte gebracht.«

Sie war nicht nur seelisch auf dem Entwicklungs-

stand eines Kindes stehengeblieben, sondern auch kör-
perlich. Es war, als wäre ihr Leben mit zwanzig Jahren
zum Stillstand gekommen, in jenem Augenblick, als sie
die schreckliche Nachricht erfahren hatte.

Erst heute machte Charles sich das klar! Seine Mutter war damals nicht älter als Babette gewesen. Sein
Vater weit jünger als er. Fast noch ein Junge!

Dann aber hatte sie zwei Kinder bekommen und
hatte allein mit ihnen dagesessen.

Sie war dünn, blaß, stets in Schwarz gekleidet, hatte
fiebrige Augen und um den Mund ein schiefes Lächeln.

»Charles!«

»Ja!« rief er aus dem Zimmer, das als Küche diente.

»Iß den Schinken auf. Du mußt zu Kräften
kommen!«

Immer und immer wieder hatte sie gesagt, daß sie zu
Kräften kommen müßten. Nie hatte sie an sich gedacht,
die selbst nicht kräftig war und doch alle Krankheiten
überstanden hatte.

»Vergiß nicht, deinem Bruder die warmen Unter-
hemden einzupacken!«

In anderen Familien wurden die Mahlzeiten gemeinsam eingenommen. Man saß an einem Tisch. Bei ihnen
wurden seit jeher keine Umstände gemacht. Jeder aß,
wann es ihm einfiel, im Sitzen oder im Stehen. Meist
war es irgend etwas Kaltes.

Die Tante kam schon wieder zurück und fragte:

»Hat sie gegessen?«

»Noch nicht. Ich muß zum Bahnhof, die Sachen von
Pierre aufgeben.«

Er konnte sich nicht noch um mehr kümmern. Er

hatte eine fest umrissene Aufgabe und brauchte dazu einen kühlen Kopf.

Er gab den Koffer selbst auf und betrachtete seine Kollegen, als wollte er sagen:

»Seht ihr, ich bin ganz ruhig!«

Danach begab er sich ins Café de l'Amiral, ohne es recht zu wollen, runzelte schon auf der Schwelle die Stirn und murmelte mit belegter Stimme:

»Wo ist Babette?«

Ohne sich aus der Ruhe bringen zu lassen, drehte Jules sich um und rief: »Babette!«

»Ja«, rief eine Stimme aus dem Hinterzimmer.

Natürlich, da war sie! Sie mußte ja nicht unbedingt in der Gaststube zu tun haben. Sie streckte den Kopf durch die Tür, kam näher, ein Tuch in der Hand, fuhr sich mit dem Ärmel über das Gesicht und sagte:

»Du bist es! Nun?«

»Gar nichts! Ich bin zurück.«

»Was haben sie gesagt?«

»Ich weiß nicht. Ich bin zurückgekommen, um die Wahrheit herauszufinden. Bring mir einen Kaffee.«

Dann, wieder gegen seinen Willen, als sie ihm den Kaffee hinstellte:

»War Paumelle hier?«

»Ich weiß nicht, warte. Gestern abend, glaub ich.«

»Hat er mit dir gesprochen?«

»Nein. Ja. Wie immer.«

Er spürte, daß er all diese Dinge unbedingt abschütteln mußte, wenn er irgend etwas erreichen wollte. Aber das ging nicht so ohne weiteres.

»Ich habe um acht Tage Urlaub gebeten.«

»Aha.«

Warum versuchte er sich plötzlich Babette in dem Haus in der Rue d'Etretat vorzustellen, mit seiner Mutter, seinem Bruder Pierre, seiner Tante Louise?

»Woran denkst du?«

»An nichts.«

An nichts und an alles! An das Leben! An seine Mutter, die eine liebe gute Frau gewesen war wie Babette und die zwei Kinder bekommen hatte! Würde auch Babette...?

»Ich werde Geld von der Sparkasse abheben. Ich werde alles tun, was notwendig ist, um Licht in die Sache zu bringen.«

»Glaubst du nicht, daß er sich vielleicht selbst umgebracht hat?«

Der Gedanke überraschte ihn, dann verwarf er ihn. Wer bringt sich schon um, indem er sich mit einem Messer die Kehle durchschneidet. Als wollte sie seinen Einwand entkräften, fuhr Babette fort:

»Denk an den Algerier, der mit einem Rasiermesser Selbstmord begangen hat.«

Nicht doch! Fast hätte er sich von dieser Version der Geschichte überzeugen lassen und dabei die gestohlene Aktentasche mit dem Geld und den Wertpapieren vergessen.

»So war es nicht!« stellte er fest.

Was hatte ihn der Richter noch gefragt? Ach ja. Jetzt erinnerte er sich, obgleich es ihm anfangs gar nicht besonders aufgefallen war.

»Ihr Bruder besaß ein Messer, das seine Initialen trug?«

Er hatte die Frage verneinen müssen. Pierre besaß kein solches Messer.

»Haben Sie an ihm jemals einen Tabaksbeutel bemerkt, der aus einer Schweinsblase in einem Netz bestand?«

Sicherlich hatte er bei dieser Frage die Stirn gerunzelt. Sie hatte ihn vage an etwas erinnert, was ihm erst jetzt klar wurde. Abgesehen von der Vergrößerung im Salon besaßen sie nur drei kleine Fotografien vom Vater. Oft hatten sein Bruder und er sie durch die Lupe betrachtet.

Auf einem dieser Fotos stopfte sich Pierre Canut, der Vater, seine Pfeife aus einem merkwürdigen Beutel, eben aus dem, von dem der Richter gesprochen hatte.

Was hatte er geantwortet? Es war unwichtig, da der Richter nicht mit offenen Karten gespielt und ihm nicht gesagt hatte, warum er diese Fragen stellte.

»Kennen Sie außer Ihrer Familie noch andere Feinde von Emile Février?«

»Was ist, Babette?« rief Jules, der Wirt.

»Ich komme!«

Immer die gleiche Komödie! Nicht eine Viertelstunde hatten sie füreinander Zeit! Nun nahm Jules den Platz des Mädchens ein. Wie gewöhnlich setzte er sich rittlings auf einen Stuhl, die Ellbogen auf der Lehne, die Meerschaumpfeife zwischen den Zähnen.

»Nun, mein Sohn?«

Charles, der nicht mochte, wenn er so genannt wurde, zeigte keinerlei Reaktion.

»Weißt du, daß die Burschen von der Polizei sich immer noch hier herumtreiben? Scheint so, als seien sie gar nicht so sicher, daß sie die Sache schon unter Dach und Fach haben! Gestern abend hat der Kommissar bis Mitternacht dort in der Ecke gesessen, ohne mit irgend jemandem zu sprechen.

»Hat er Sie nichts gefragt?«

»Vor dem Mittagessen haben wir ein bißchen geplaudert.«

»Was haben Sie ihm gesagt?«

Canut mochte Jules nicht. Nicht seines Charakters wegen, sondern einzig und allein, weil er der Chef von Babette war und sich deshalb in den Gängen hätte an sie heranmachen können.

»Ich habe ihm gesagt, daß dein Bruder viel zu viel Schiß hat, um jemanden umzulegen. Verstehst du?«

Natürlich verstand Charles. Er wußte, daß es stimmte. Pierre war nicht der grobe Klotz, den sein Aussehen vermuten ließ. Zu Hause brachte er es nicht einmal übers Herz, ein Kaninchen zu töten.

»Ich habe hinzugefügt, daß weit eher du in Frage kämst, wenn irgend jemand aus eurer Familie es dem Alten besorgt hätte.«

Und Jules ließ einen merkwürdigen Blick auf ihm ruhen. Den Blick eines Mannes, der viel gesehen hat, sehr vieles, und der gewöhnt ist, den Dingen auf den Grund zu gehen.

»Stimmt's?«

»Pierre war es nicht und ich auch nicht.«

»Das will ich gerne glauben. Es gibt ein paar Leute hier, die würden Krach schlagen, wenn man Pierre nicht freiläßt. Wenn die ›Centaure‹ zurückkommt, könnte es Ärger geben.«

Sie schwiegen. Jules rückte den Stuhl ein wenig zurück und zog seine Hose hoch, die ihm immer über den Bauch hinunterrutschte.

»Nun?«

»Was, nun?« meinte Charles mißtrauisch.

»Ich wette, du hast schon jemanden im Auge.«

Daraufhin ging der Blick Canuts in die Ecke, in der der junge Paumelle sich gewöhnlich niederließ. Der Wirt sah den Blick und lächelte triumphierend.

»Was hab ich gesagt! Aber der Bursche ist nicht dumm. Du mußt gerissener sein als er.«

Um diese Zeit war nicht viel los. Das Café war leer. Babette war wohl beim Abwaschen, denn von Zeit zu Zeit sah sie herein, einen Teller oder ein Glas in der Hand.

»Wenn du herauskriegen könntest, wovon er lebt, seit sein Vater tot ist ... Ich habe mal mit dem Idioten darüber gesprochen. Er war Matrose beim alten Paumelle und kommt auch weiter hierher, um ein Glas zu trinken. Versteh mich recht, ich will nichts unterstellen ... Ich sehe nur, was die Leute ausgeben. Wenn ich nur Gäste wie dich hätte, die den ganzen Abend bei einem Kaffee sitzen, könnte ich den Laden zumachen. Paumelle dagegen läßt einiges springen, zumindest manchmal.«

»Haben Sie das dem Kommissar erzählt?«

»Er hat mich nicht danach gefragt. Schließlich ist das nicht meine Angelegenheit, sondern deine.«

»Wissen Sie irgend etwas?«

»Überhaupt nichts! Behaupte ja nicht, daß ich dir irgend etwas erzählt hätte! Ich werde schwören, daß es nicht stimmt. Wir plaudern ein bißchen, das ist alles. In den zwei Jahren, seit Février zurück ist, ist es gut möglich, daß Paumelle ihm begegnet ist.«

Das Gespräch brach jäh ab, weil der Fischereiaufseher mit einem Schiffsbauer hereinkam, dessen Werft in der Nähe war. Sie kamen zum Kartenspielen. Als vierten Mann holte man den Schleusenwärter herbei. Jules legte den Spielteppich auf den Tisch und mischte, während Charles Canut zu Boden blickte.

Er hörte sehr wohl, daß sie sich zwischen den Stichen halblaut über ihn und seinen Bruder unterhielten. Aber er wollte über das eben Gehörte nachdenken.

Wie sollte er sich verhalten? Wenn die Dinge rechtens vonstatten gegangen wäre, oder wenn er dies wenigstens geglaubt hätte, hätte er den Kommissar aufgesucht und ihm erklärt:

»Vielleicht könnten Sie einmal Paumelle verhören. Mein Bruder ist ein rechtschaffener Mann, der sich sein Brot ehrlich verdient. Nie hat er irgend jemandem das geringste Unrecht zugefügt. Der andere aber ist ein Nichtsnutz, den man ein paar Mal in der Woche im Bordell trifft. Er verdient sich sein Brot nicht dadurch, daß er mal hier hilft und mal dort. Jules, der ja Bescheid wissen muß, hat recht: Woher nimmt er das Geld?«

Er rief Babette, zahlte und ging widerwillig fort. Mißmutig blickte er auf den Hafen.

Wie konnte er herausfinden, ob Paumelle und Février sich gekannt hatten? Da Février nie in ein Lokal gegangen war, konnten sie sich dort nicht begegnet sein. Er hatte sich auch kaum auf den Straßen gezeigt, aus Furcht, Madame Canut dort zu begegnen.

Warum sollte er nicht Tatine fragen gehen, die Alte, die seit Févriers Rückkehr nach Fécamp für ihn gearbeitet hatte? Sie wohnte in der Nähe des alten Hafens bei ihrer Schwester, die von Näharbeiten lebte und hin und wieder bei Lachaume aushalf.

Charles Canut machte sich auf den Weg, aber je weiter er ging, um so mehr büßte er an Sicherheit ein. Wie sollte er vorgehen, was sagen? Die Leute drehten sich nach ihm um. Andere riefen ihm im Vorbeigehen einen Gruß zu. Der Himmel war blaugrau, die Sonne knapp von Wolken verdeckt, ein gelblicher Fleck darin.

Er mußte um den Hafen herum, durch unbebautes Gelände. Kleine schwärzliche Häuser reihten sich aneinander, von Geröll umgeben. Das erste gehörte dem Organisten, der Charles die sechs Klavierstunden gegeben hatte und der so scheußlich aus dem Munde gerochen hatte.

Zwei Häuser weiter schnurrte eine Nähmaschine. Die Schwester von Tatine war also zu Hause. Schüchtern klingelte Charles. Er wurde noch befangener, als er gedämpfte Schritte im Flur hörte.

Es war Tatine. In einer blauweiß karierten Baumwollschürze, weiße Haare über dem milchigen Gesicht. Zuerst hatte sie ganz natürlich, wie sie es jedem gegenüber getan hätte, die Tür weit geöffnet, sie dann aber schnell wieder zugestoßen und nur einen Spalt von zehn Zentimetern offengelassen.

»Was wollen Sie?«

»Ich würde Sie gern einen Augenblick sprechen. Es ist sehr wichtig. Ich versichere Ihnen, daß Sie...«

»Jeanne!« rief die Alte. »Komm mal her!«

Die Maschine verstummte. Eine zweite Alte erschien im Korridor und fragte mißtrauisch:

»Wer ist das?«

»Es ist sein Bruder! Was soll ich tun?«

Die Situation war einfach lächerlich. Charles auf der Schwelle, die beiden verstörten Frauen im Flur und dazwischen die Tür, die man nur zuzustoßen brauchte!

»Ich bitte Sie nur um einen Augenblick. Seien Sie so freundlich!«

»Ich glaube, du kannst ihn hereinlassen. Ich kenne ihn, ich arbeite bei seiner Tante.«

Und er trat ein, betrat ein Zimmer zur Rechten, angefüllt mit Stoffstücken, die mit Nadeln zusammengeheftet waren. An der Tapete waren alte Modestiche befestigt.

»Was wollen Sie?«

Die beiden blieben stehen und drängten sich ängstlich aneinander, als sei er ein Mörder. Durch die Gardinen sah man den alten Hafen, in dem ein paar Kähne verfaulten.

»Mein Bruder ist unschuldig. Ich werde es beweisen. Dazu muß ich aber den Schuldigen ausfindig machen.«

Sie sahen sich an, als wollten sie sagen:

»Hast du das gehört?«

Charles faßte sich ein Herz, sprach rasch, ohne daß er wagte, sie anzusehen.

»Wenn Monsieur Février getötet worden ist, dann war es jemand anders als mein Bruder. Vielleicht jemand, den er kannte.«

Tatine hatte die Hände vor dem Leib gefaltet wie die

Domherren auf den Kirchenfenstern, und kein Gesicht hätte ein vollständigeres, tieferes Mißtrauen zum Ausdruck bringen können als das ihre.

»Sprechen Sie, sprechen Sie doch!« schien sie zu sagen.

»Ich möchte wissen, wen Monsieur Février in letzter Zeit empfangen hat, wem er begegnet ist, wer sich genügend im Haus auskannte, um...«

»Gehen Sie das die Polizei fragen, junger Mann!«

»Aber...«

»Die Polizei hat mich vernommen, wie das ihr Recht ist. Ich habe ihr alles gesagt, was ich wußte. Was aber Sie betrifft, so finde ich es ziemlich unverschämt, daß Sie Leute belästigen, die Ihnen nichts getan haben.«

Wieder sahen die beiden Alten sich an, sie waren einer Meinung.

»Wenn Ihre Tante nicht eine so achtbare Person wäre, hätte ich Ihnen gar nicht erst die Tür geöffnet.«

»Sagen Sie mir doch wenigstens, ob Gaston Paumelle...«

»Gar nichts! Wir werden Ihnen gar nichts sagen, weil wir Ihnen nichts zu sagen haben, ganz abgesehen davon, daß Sie morgen oder übermorgen vielleicht schon im Gefängnis sind.«

Sie erschraken über ihre eigene Kühnheit, traten einen Schritt vor und drängten ihn gegen die Tür.

»Verstehen Sie denn nicht, daß...?«

»Marthe, geh vor die Tür. Wenn er sich weigert fortzugehen, rufst du um Hilfe.«

Ganz mechanisch stammelte er daraufhin:

»Entschuldigen Sie bitte ...«

Draußen setzte er seine Mütze auf und setzte sich in Bewegung, ohne sich um die Richtung zu kümmern, die er einschlug.

5

Man konnte sagen, daß jeder tat, was in seinen Kräften stand. Und alle waren zur gleichen Zeit mit den gleichen Gedanken beschäftigt.

Monsieur Laroche hatte Gäste zum Abendessen. Einen Appellationsrat mit seiner Frau, die regelmäßig zum Essen kamen, außerdem einen alten Kollegen, der aus Tahiti kam, wo er Generalstaatsanwalt war.

»Manchmal frage ich mich, ob er nicht ein ausgekochter Bösewicht ist«, erklärte er beim Käse und sog genießerisch die Blume seines Chambertin ein. »Dann kommt er mir wieder wie ein Schwächling vor, den das Gefühl der eigenen Ohnmacht erdrückt. Ich habe es mit verschiedenen Methoden versucht...«

Monsieur Laroche stammte aus Chalon-sur-Saône, seine Frau aus Mâcon. Sie standen in dem Ruf, einen der besten Weinkeller von Rouen zu haben.

»Ich habe Bedenken, die Mutter vorzuladen, der es nicht sehr gut geht. Aber ich werde mich wahrscheinlich dazu entschließen, zu ihr hinzufahren.«

Aber es verhielt sich nicht ganz so! Madame Canut ging es gar nicht so schlecht, was sich darin zeigte, daß sie, einen Umschlag um den Hals, aufgestanden war, ihre Schwester nach Hause geschickt und sich ungeachtet der späten Stunde in den Kopf gesetzt hatte, die Wohnung sauber zu machen. Vielleicht erwartete sie, daß Pierre jeden Augenblick zurückkehren würde, oder sie ahnte etwas von dem Besuch, den der Richter ihr abstatten wollte.

Monsieur Abeille war im Theater, wo ein Galaabend einer Pariser Schauspieltruppe stattfand. Er war einer der wenigen Zuschauer im Frack, was ihn aber nicht störte. Im Gegenteil. In den Pausen sah man ihn geschäftig in den Wandelgängen auf und ab gehen, stets bereit, Fragen zu beantworten oder sie zu provozieren.

»Aber ja doch! Aber ja doch! Ich versichere Sie, daß die Verhandlung noch in dieser Sitzungsperiode stattfinden kann. In einigen Tagen wird die Untersuchung abgeschlossen sein und... Eine menschliche, allzu menschliche Tragödie, die alles in den Schatten stellt, was unser Schwurgericht bislang gesehen hat. Stellen Sie sich nur diese Männer in ihrem Rettungsboot vor!«

Monsieur Gentil, der Kommissar der mobilen Brigade, drehte sich von Zeit zu Zeit eine Zigarette, zündete sie an, trank einen Schluck Bier und versuchte zu verstehen, was um ihn her geredet wurde.

Er war aus Raincy, wo er vierzig Jahre lang gelebt hatte. Seit fünfzehn Jahren stand er im Dienst der Republik. Fécamp verwirrte ihn, der Geruch des Genevers, dieser Akzent, der den größten Teil des Gesprächs unverständlich machte, und die Tatsache, daß die Leute kaum von ihm Notiz nahmen.

Denn er hatte sich ins Café de l'Amiral gesetzt, wo jeder wußte, wer er war. Trotzdem drehte man sich nicht nach ihm um. Man nahm ihn nicht zur Kenntnis.

Er hatte die Gewißheit, richtig zu handeln. Wenn er auch von der Schuld Pierre Canuts überzeugt war, wußte er doch, daß es noch einige dunkle Punkte gab, die sich hier vielleicht durch einen Zufall aufklären würden.

Auch jetzt war es immer noch Charles Canut, der am wenigsten Zutrauen zu sich selbst hatte. Aber obwohl es ihn fast wahnsinnig machte, daß seine Gedanken langsam, wie im Zeitlupentempo flossen, kam ihm eine Idee, der ein genialer Funke innewohnte.

Begonnen hatte es kurz nach dem Besuch bei den beiden alten Frauen. Zuerst war er ohne Ziel drauflos gegangen, dann hatte er bemerkt, daß er kaum hundert Meter von der Villa des Mouettes entfernt war.

Es war ein merkwürdiges Viertel, von der übrigen Stadt durch die Hafenbecken getrennt. Am Fuße der Steilküste standen drei oder vier kleine, recht hübsche Villen. Ihre Gärten waren von Gitterzäunen umgeben, genau wie auf der anderen Seite des Ärmelkanals in England.

Weiter vorn bestand es nur aus einer Straße. Allerdings einer unvollständigen Straße, da dort nicht so viele Häuser standen, daß sie sich aneinandergereiht hätten. Man sah große Lücken zwischen ihnen, an anderer Stelle standen sie näher zusammen. Auch der Gehsteig hörte stellenweise auf.

Es war schwer zu verstehen, warum es überhaupt Leute gab, die dort wohnten, statt wie alle anderen in der Stadt zu leben, die man jenseits der Hafenbecken erblickte. Um nach Hause zu gelangen, mußten sie über Schlaglöcher hinweg und an Bretterzäunen vorbei. Die Stadtverwaltung hatte ihnen nur zwei Straßenlampen bewilligt, deren Licht nicht ausreichte.

Charles blieb am Rande des Hafenbeckens stehen und dachte:

»Pierre ist also gegen Mitternacht gekommen. Das Licht in der Villa des Alten muß zu sehen gewesen sein. Wahrscheinlich waren alle anderen Häuser dunkel.«

Denn diejenigen, die hier lebten, waren meist vom Schlage Tatines und ihrer Schwester, kleine Leute, denen es nichts ausmachte, an einem so tristen und abgelegenen Ort zu leben, so lange dies eine Ersparnis bedeutete.

Canut sah sich um, ohne etwas damit zu bezwecken. Da erblickte er ein Haus, das sich von den anderen unterschied. Er wußte zwar von seinem Vorhandensein, hatte vorher aber nicht daran gedacht.

Mit dem gleichen Recht, mit dem man sich fragen konnte, warum dort eine Straße entstanden war, konnte man sich auch fragen, warum jemand angesichts der kaum zwanzig Häuser, die sich dort befanden, auf den Gedanken verfallen war, ein Café zu eröffnen, oder vielmehr eine Schenke, wie auf der Scheibe zu lesen war.

Jedenfalls war da eine, und sie war ebenso kümmerlich wie die restlichen Häuser. Viel zu eng, viel zu neu, mit komischen gehäkelten Vorhängen, mit einer Theke, die eigentlich keine war, und mit nur zwei Tischen, die nicht etwa von Kaffeehausstühlen umgeben waren, sondern von lackierten Kiefernholzstühlen, wie sie in Kaufhäusern angeboten werden.

Canut war noch nie dort gewesen. Er wußte, daß sie einer gewissen Emma gehörte, einer Flämin, die während des Krieges geflohen war und die jetzt mindestens fünfundvierzig sein mußte.

Er wußte auch, daß ihr Lokal etwas anrüchig war, ohne direkt ein verrufenes Haus zu sein. Selten ging man in Gesellschaft hin und beispielsweise niemals, um Domino oder Karten zu spielen. Auch ging man nicht hin, um zu trinken, denn hinter der Theke standen nur einige Flaschen schales Bier, eine Flasche Genever und eine mit Kakaolikör, dem einzigen Getränk, das Emma mochte.

Die Männer, die die Tür zur Schenke aufstießen, waren allein, meist etwas älter. Sie wußten nichts mit ihrer Zeit anzufangen, nachdem sie genug davon hatten, sich am Hafen herumzutreiben und den Jungen beim Angeln zuzusehen. Hier fühlten sie sich zu Hause.

»Wie geht's dir, Emma?«

»Und dir? Hast du was von deiner Tochter gehört?« Denn Emma kannte die kleinen Sorgen eines jeden und gab manchmal gute Ratschläge.

Von morgens bis abends häkelte sie, wobei sie grobe Wolle in den unglaublichsten Farben verwendete.

»Bedien dich selbst, ja? Gieß mir auch ein Gläschen ein.«

Dann plauderte man bei dem flämischen Ofen, auf dem eine Kaffeekanne stand. Eine Westminster-Spieluhr ertönte alle Viertelstunden.

Sicherlich gab es Gäste, die sich nicht damit begnügten. Zwei oder drei, wie man sagte. Manchmal schloß Emma nämlich die Tür ab, und wenig später wurde das Rollo vor ihrem Schlafzimmerfenster herabgelassen.

Charles Canut wurde sich bewußt, daß er einen merkwürdigen Anblick bieten mußte, wie er dort mit hängenden Armen und in Gedanken verloren stand... Tatsächlich aber hatte er eben jetzt eine Entdeckung gemacht.

War vielleicht in jener Nacht, in der bedeutsamen Nacht vom Zweiten auf den Dritten, die Schenke von Emma um Mitternacht noch geöffnet gewesen? In diesem Falle wäre Pierre auf seinem Weg zur Villa an ihr vorbeigekommen. Folglich hätte man ihn sehen können!

Dann wäre es auch ein leichtes gewesen, zu warten, bis er wieder herauskam...

Es war nicht mehr als eine vage Idee, aber dunkel spürte Charles, daß er ihr nachgehen, daß er sie so weit als irgendmöglich ausschlachten mußte.

Er betrachtete die Villa, die achtzig Meter entfernt war, dann das kleine Café. Auf seinen Spaziergängen mußte Monsieur Février, selbst wenn er nicht bis zur Stadt ging, bei Emma vorbeigekommen sein.

Mit seinen mehr als sechzig Jahren war er nun aber immer noch rüstig gewesen. Hatte er damit nicht genau zu jener Art von Männern gehört, die bei der freundlichen Flämin einkehrten? Genau! Ein Mann, der alleine stand! Ein Mann, der dazu noch Kummer hatte! Und Tatine, seiner giftigen Haushälterin, konnte er sein Herz nicht ausschütten!

Wenn Monsieur Février bei Emma verkehrte...

Charles Canut dachte den Gedanken nicht zu Ende, ging über die Straße und stieß die Tür auf, wobei er eine klägliche Glocke auslöste. Da saß die Frau, an ihrem üblichen Platz, hinter dem Vorhang, der ein wenig aufgezogen war, so daß sie, wenn sie den Kopf hob, sehen konnte, was sich auf der Straße zutrug.

»Guten Tag!« sagte sie und erhob sich widerwillig. »Was möchten Sie trinken?«

»Ich weiß nicht... Haben Sie Apfelwein?«

»Nein, Bier.«

Er war linkisch. An solche Situationen war er nicht gewöhnt. Er hatte sich an einen Tisch an der Wand gesetzt, unter einen Reklamedruck, der König François Ier darstellte, wie er Bier aus einem Faß trank.

»Bitte schön!«

Sie bediente ihn und setzte sich dann wieder, ohne sich weiter um ihn zu kümmern. Sie merkte wohl, daß es nicht der Mühe wert war. Sie war groß und üppig, trotz ihres Alters immer noch reizvoll. Es war ihr anzumerken, daß sie ganze Tage ruhig an ihrem Platz sitzen konnte, nur damit beschäftigt, mit halblauter Stimme die Maschen zu zählen.

»Haben Sie viele Gäste?« fragte Charles und wurde rot, als er merkte, wie falsch seine Stimme klang.

Ohne den Kopf zu heben antwortete sie:

»Hin und wieder!«

Er wußte sehr gut, daß er geschickt vorgehen mußte, daß eine gut gestellte Frage vielleicht ausreichen würde, um ihn auf die richtige Spur zu bringen. Er fühlte sich scheußlich in seiner Haut, war aber entschlossen, die Sache zu Ende zu bringen, auch auf die Gefahr hin, sich lächerlich zu machen.

»Bestimmt kommen die Leute aus dem Viertel hierher?«

Und sie, ohne sich zu rühren:

»Manche!«

»Das ist ja auch einfacher für sie, als in die Stadt zu gehen, um etwas zu trinken.«

»Gewiß.«

Wußte sie, wer er war? Er war sich dessen nicht sicher. Er war weit weniger bekannt als sein Bruder. Allerdings ähnelte er ihm, und das Bild von Pierre war in den Zeitungen erschienen.

»Wird bei Ihnen abends gespielt?«

»Was gespielt?«

»Ich weiß nicht... Domino. Oder Karten.«

»Manchmal.«

Egal! Er mußte weitermachen.

»Angenehm für die Leute, die so früh keinen Schlaf finden können. Ich, beispielsweise, kann nie vor Mitternacht schlafen.«

Sie hob den Kopf und sah ihn an, ohne daß man hätte erraten können, was sie dachte.

»Es kommt mir so vor, als hätte ich bei Ihnen oft noch spät abends Licht gesehen.«

»So so!« meinte sie und wandte sich ihrer Arbeit wieder zu.

Sie verfielen in Schweigen, das plötzlich durch die Spieluhr unterbrochen wurde. Eine Viertelstunde verging, während der Charles Canut so viele verschiedene Dinge durch den Kopf gingen, daß er plötzlich ganz überrascht war, sich an diesem Ort zu befinden.

»Was bin ich Ihnen schuldig?«

»Achtzehn Sous.«

Er wollte zahlen. Dann besann er sich aber ohne

Grund anders, was sich als regelrechte Eingebung herausstellen sollte.

»Geben Sie mir noch ein Glas.«

Sie bediente ihn seufzend. Dann legte sie Holz nach, schloß die Klappe, vergewisserte sich, daß ihr Gast noch nicht gehen wollte, und ging in ein Nebenzimmer, um Kaffee zu mahlen.

Charles saß allein in der Gaststube, als die Tür sich öffnete und Gaston Paumelle hereinkam, der verblüfft stehenblieb, als er ihn sah.

»Na so was!« knurrte er zwischen den Zähnen.

Und Canut, sehr erregt, ein bißchen erschreckt, versuchte ruhig zu bleiben, ein unbeteiligtes Gesicht zu machen.

Paumelle trug wie immer eine blaue Hose, einen Pullover und Holzschuhe. Lange braune Haare kamen unter seiner Mütze hervor. Es machte ihm Spaß, sein strolchenhaftes Aussehen noch zu unterstreichen, indem er die Hände in den Taschen vergrub, die Zigarette lässig im Mundwinkel hängen ließ und sich beim Gehen in den Schultern wiegte.

»Bist du da, Emma?«

Unbekümmert ging er ins Nebenzimmer und schloß die Tür hinter sich. Die Kaffeemühle verstummte. Stimmen waren zu hören.

Charles hätte fortgehen können. Er hätte es auch gern getan, zumal er sich nie hatte prügeln können und Paumelle in dem Ruf stand, keiner Schlägerei aus dem Wege zu gehen.

Er blieb. Er hatte das Bedürfnis, sich als Held zu erweisen, die Erregung unter Kontrolle zu bekommen, die seine Handflächen feucht werden ließ. Er kam zu dem Schluß, daß er Paumelle am besten mit den vier Beinen eines Stuhles abwehren würde, falls er von ihm angegriffen wurde. Er vergewisserte sich, daß sich einer in seiner Reichweite befand.

Im anderen Zimmer wurde immer noch gesprochen. Es ging ruhig zu. Dann öffnete sich die Tür, und Emma holte die Kaffeekanne, wobei sie ihrem Gast einen gleichgültigen Blick zuwarf.

Diesmal schloß sich die Tür nicht, und er hörte, wie Wasser auf den Kaffee gegossen wurde, dann die Stimme Paumelles, der fragte:

»Hast du nichts zu essen?«

»Schau im Speiseschrank nach. Es muß noch eine Brioche da sein.«

Wieder erschien Emma, stellte zwei dicke Steinguttassen auf den Tisch, an dem sie vorher gearbeitet hatte, ging nochmals hinaus und kam mit der Kaffeekanne und einer Zuckerdose zurück. Dann erschien auch Paumelle, der an seiner Brioche kaute und sich einen Augenblick vor Canut aufbaute, wobei er ihm herausfordernd in die Augen sah.

»Hör mal«, sagte er und setzte sich zu der Flämin, wobei er seine Füße auf einen Stuhl legte, »ich habe mir sagen lassen, daß im Gefängnis noch ein Platz frei ist.«

Sie hatte verstanden, denn sie betrachtete Canut und lachte. Es war das bereitwillige Lachen einer dicken, einfältigen Person, die leicht zu erheitern ist.

»Hast du keine Zichorie in den Kaffee getan?«

»Du weißt, daß ich nachmittags keine hineintue.«

»Was du nicht sagst! Na ja, gib mir wenigstens Zucker! Hast du keine Zeitung?«

Sie erhob sich und holte eine hinter dem Tresen hervor. Gehorsam brachte sie sie ihm. Er öffnete sie, stopfte den Rest der Brioche in den Mund, zündete sich eine Zigarette an und begann zu lesen, wobei er mechanisch den Zucker umrührte.

Endlos zogen sich die Minuten hin. Das Ticken der Uhr machte jede einzelne Sekunde hörbar, die Zeiger rückten kaum vorwärts, als klebten sie an dem emaillierten Zifferblatt. Drüben von der anderen Seite des Hafenbeckens her war ein Kran als immer wieder aussetzendes Hintergrundgeräusch zu hören, manchmal vernahm man auch einen Sirenenton oder das Geräusch einer Tür, die in der Nähe geschlossen wurde.

»Gieß mir noch Kaffee ein!«

Canut hatte noch nie so unbequem gesessen. Er hatte den Reklamedruck, der François I er zeigte, so lange angestarrt, bis er ihm zum Halse heraushing. Aber war es die Sache nicht wert? Schließlich hatte er herausgefunden, daß Paumelle Stammgast bei Emma war, vielleicht sogar ihr Liebhaber.

Er führte sich jedenfalls so auf, als gehöre ihm das Haus. Durch sein Verhalten schien er Canut zu sagen:

»Hast du gesehen? Hast du verstanden? Bist du zufrieden? Na also, dann kannst du uns jetzt ja in Frieden lassen!«

Doch Canut ging nicht fort. Er war entschlossen, bis zum Schluß zu bleiben, selbst auf die Gefahr einer Schlägerei hin.

»Übrigens, Emma, hast du Fliegenfänger auf die Stühle gelegt, wie ich es dir gesagt habe?«

Sie brauchte nur einen Augenblick, um zu begreifen. Dann betrachtete sie Canut und lachte auf. Diesmal mußte sie so sehr lachen, daß sie den Kaffee in die falsche Kehle bekam und fast erstickt wäre.

»Hör bloß auf! Du bist zu komisch...«

Ihr Akzent machte sich jetzt deutlich bemerkbar. Ihre Augen füllten sich mit Tränen. Auf ihren Wangen zeigten sich rote Flecken.

Paumelle war stolz auf die Wirkung, die er erzielt hatte, unterdrückte ein Lächeln und suchte nach etwas anderem.

Sein Vater, der nie geheiratet hatte, hatte diesen Sohn mit einem Mädchen gehabt, das verschwunden war. Man sagte, sie arbeite jetzt in einem Bordell, in irgendeiner Stadt im Süden. Das Mädchen mußte schön gewesen sein, denn von allen Burschen in Fécamp hatte ganz zweifellos Paumelle das am feinsten geschnittene Gesicht. Und obwohl er sich so ruppig aufführte, lag in seinem Auftreten etwas Rassiges.

»Weißt du, was du tun solltest, Emma? Du solltest den Fotografen mit seiner Kamera holen. Dann hätten wir wenigstens ein Bild von ihm, wenn er nicht mehr da ist.«

Täuschte Canut sich, oder verbarg sich hinter dieser Lustigkeit wirklich eine gewisse Unsicherheit und allmählich auch aufsteigende Wut?

Jedenfalls las Paumelle nicht. Die Zeitung diente ihm nur als Vorwand. So konnte er blasierte Posen einnehmen und lange Zeit schweigen.

»Gib mir einen Schnaps, ja? Aus *meiner* Flasche.«

Mit Nachdruck sagte er es. Plötzlich fiel Charles ein, daß Babette zur gleichen Stunde im Café Amiral beschäftigt war und daß die Männer dort...

Schließlich wechselte Paumelle den Platz, wandte Canut demonstrativ den Rücken zu und begann sich erst halblaut, dann ganz leise mit Emma zu unterhalten, wie es Leute tun, die sich viel zu erzählen haben.

Es war noch peinigender, dieses ständige Geflüster anhören zu müssen und nicht zu wissen, worum es ging. Vielleicht um Dinge ohne Belang? Vielleicht aber auch um die einzige Angelegenheit, die Canut interessierte?

»Also, ich gehe. Der andere kommt sicherlich jeden Augenblick.«

Es war sechs Uhr. Der andere war wahrscheinlich einer der regelmäßigen Kunden der Flämin. Als Paumelle fort war, stand auch Charles auf.

»Guten Abend!« sagte er, ohne eine Antwort zu bekommen.

Einen Augenblick lang hatte er große Angst. Paumelle ging in der Dunkelheit am Hafenbecken entlang, und Canut war ihm ohne nachzudenken gefolgt. Von Zeit zu Zeit mußte er über die Taue eines Schiffes steigen. Außer ihnen war niemand hier. Nur zwei Straßenlampen auf der anderen Seite der Straße. Eine von ihnen vor dem Haus von Tatine.

Warum drehte Paumelle sich nicht plötzlich um? Er brauchte Charles nur herankommen zu lassen und ihn, sobald er ihn erreicht hatte, mit einem Schulterstoß ins Wasser zu befördern...

Na wenn schon! Es war zu spät! Er verlangsamte seinen Schritt nicht. Paumelle ging nicht um das alte Becken herum, sondern wählte den Weg über die Drehbrücke. Einen Augenblick blieb er bewegungslos auf ihr stehen und sah in das Wasser hinab.

Warum sollte er Février nicht getötet haben? Er haßte Pierre, das war sicher. Es war ein ganz besonderer Haß, so etwas wie Familienhaß. Denn es gab ein Band zwischen ihnen: sie waren die Söhne von zwei Männern, die auf der »Télémaque« gefahren waren. Auch Canut selbst konnte Paumelle nicht als Fremden ansehen. Er war so etwas wie ein Vetter, der aus der Art geschlagen war.

War es seine Schuld? Vielleicht nicht. Sein Vater war immer betrunken gewesen und hatte ihn sich in Lumpen auf der Straße herumtreiben lassen. Der Idiot, der bei ihm die Stelle des Kindermädchens vertreten hatte, war ein unheimlicher Typ. Er hatte seine eigenen Tricks. Beispielsweise fischte er mit Dynamit und stahl Kabeljau aus den Eisenbahnwaggons. Niemand wollte etwas mit ihm zu tun haben.

Als der Vater gestorben war, war Paumelle nicht zu seiner Beerdigung erschienen. Er hatte den Tag im Café verbracht.

War er nicht eifersüchtig auf die beiden anderen, vor allem auf Pierre, der ein Schiff befehligte, auf diesen Pierre, den alle bis zum Überdruß lobten?

Man konnte fragen, wen immer man wollte:

»Was für ein Mann ist dieser Pierre Canut?«

Mit Sicherheit bekam man zur Antwort:

»Der beste Fischereikapitän! Ein Ehrenmann! Einer,

der niemandem etwas zuleide tun würde, und wenn es zu seinem eigenen Nachteil wäre.«

Wenn es irgendwo Streit gab, war zu hören:

»Fragen wir doch Canut, der soll entscheiden.«

Galt es, einen Entschluß zu fassen, sagte man:

»Sehen wir zuerst, was Canut dazu meint.«

Als sein Bruder und er noch klein waren, hatten sie in den Läden Bonbons bekommen. Die Händlerinnen hatten geseufzt:

»Die Kleinen haben ein trauriges Leben!«

Paumelle dagegen war als verwahrloster Bengel bezeichnet worden. So war es eben.

Warum ging er jetzt ins Amiral? Wollte er ihn provozieren? Er ging zur Theke, trat zu Babette und gab ihr einen freundlichen Klaps auf die Wange.

»Wie geht's, Süße? Ich hab meinen Hund mitgebracht, gib ihm was zu trinken.«

Und er setzte sich an seinen Platz, während Charles zögerte und sich dann mit unsicherem Blick gegenüber seinem Feind auf die Bank fallen ließ.

Babette hatte nichts verstanden. Sie nahm die Bestellungen beider entgegen und schien Charles mit den Augen zu fragen, was das bedeuten sollte. Währenddessen bemerkte Charles, daß er kaum einen Meter von Kommissar Gentil entfernt Platz genommen hatte, der die ganze Szene beobachtet hatte.

Warum trug sich nicht alles so zu, wie es sich eigentlich hätte zutragen müssen? Er hätte dem Kommissar sagen müssen, was er wußte und was er vermutete. Dieser hätte dann die Leute befragen und Beweise entdecken können.

Aber es hatte keinen Sinn. Die Erfahrung hatte er gemacht! Der Kommissar gehörte zur selben Sorte wie der Richter und Monsieur Abeille. Inzwischen spielte Paumelle sich auf und mischte sich bei einer Partie Karten ein, die am Nachbartisch gespielt wurde.

»Haben Sie Ihrem Bruder seine Sachen geschickt?«

Er fuhr zusammen und wandte sich dem Kommissar zu, der ganz selbstverständlich das Wort an ihn gerichtet hatte.

»Ja.«

»Es ist alles so schnell gegangen ... Hat der Richter Ihnen gestattet, ihn zu besuchen?«

»Ich habe ihn einen Augenblick gesehen.«

Der andere wußte nicht mehr, was er sagen sollte, seufzte, schlug das rechte Bein über das linke, dann wieder das linke über das rechte.

»Für Ihre Mutter muß es schrecklich sein. Hat sie es mitgekriegt?«

»Ja, alles!«

»Trotzdem, uns blieb nichts anderes übrig.«

Auch er schien sich nicht recht wohlzufühlen. Er mochte ungefähr fünfzig sein. Etwas später schluckte er mit einer Grimasse zwei Tabletten hinunter, die er einer Pappschachtel entnommen hatte. Er war also krank. Was mochte das für eine Krankheit sein?

Auch Jules, der Wirt, war krank. Der Arzt hatte ihm gesagt, daß er kein Jahr mehr zu leben habe, wenn er nicht eine strenge Diät halte. Das hinderte ihn aber nicht daran, von morgens bis abends mit den Gästen zu trinken. Morgens hatte er Säcke unter den Augen, und sein Gesicht war grau wie Blei. Er behauptete immer, er brauche nur ein großes Glas Genever, um sich zu erholen. Und tatsächlich bekam er davon Farbe.

»Haben Sie Ihre Arbeit bei der Eisenbahn wieder aufgenommen?«

»Nein.«

Dabei fiel ihm ein, daß er nicht beim Bahnhof vorbeigeschaut hatte, um zu erfahren, ob sein Urlaub genehmigt worden war oder nicht. Na wenn schon!

Babette, die sah, daß er sich mit dem Kommissar unterhielt, wagte sich nicht an seinen Tisch heran. Charles mußte sie herbeirufen.

»Bring mir etwas zu essen. Irgend etwas . . . Brot und Wurst.«

»Wir haben gebratenen Hering.«

»Ja, gut.«

Tagsüber, wenn die Schiffe ein- und ausliefen, war im Café de l'Amiral einiges los. Aber am Abend ging es kaum lustiger zu als bei Emma. Zudem sparte man, wie überall in der Stadt, wie selbst bei Monsieur Pissart, mit dem Licht, so daß man die Dämmerung buchstäblich um die Glühfäden der Birnen schwimmen sah, durchsetzt mit Rauchschwaden und so etwas wie einem feinen Staub von Langeweile.

Es gab zwei Tische mit Spielern, die um die Reklamespielteppiche in häßlichem Rot saßen, außerdem waren da zwei alte Dominoliebhaber, die mit ihren Elfenbeinsteinen ein nervenaufreibendes Geräusch auf den Holztischen verursachten.

Babette stützte sich auf die Theke. Einige Gäste gingen. Von nun an sah sie von Zeit zu Zeit auf die Uhr, weil alles von der Partie abhing. Sie konnte früh zu Ende sein, aber auch bis Mitternacht andauern.

Erst dann durfte sie damit beginnen, die Stühle auf die Tische zu stellen und die Läden zu schließen.

Der Kommissar ging schon viel früher, nachdem er Charles zugenickt hatte, dem er ohne Vorbehalte begegnete, als sei er nicht der Bruder eines Mannes, den er ins Gefängnis gebracht hatte.

»Was hast du gemacht?« fragte Babette, als sie schließlich zu Canut trat.

»Den ganzen Tag über hab ich dich nicht gesehen.«

»Ich kann jetzt nicht antworten«, erwiderte er, wobei er einen erklärenden Blick auf Paumelle warf, der die Spieler beriet.

»Ich verstehe!«

Sie schien müde. Überhaupt konnte sie gesundheitlich nicht viel vertragen.

»Bist du krank?«

»Nein! Es ist der Rücken! Heute war Fensterputztag.«

Sie hatte den ganzen Tag mit ausgestrecktem Arm auf einer Trittleiter zugebracht, von den Wassereimern, die sie aus der Küche hatte hinausschleppen müssen, ganz zu schweigen!

Plötzlich wurde Charles, ohne daß er wußte warum, von einem merkwürdigen Gefühl überwältigt, es war nicht Mutlosigkeit, sondern eine Art Verzweiflung. Vielleicht trugen daran auch die Tabletten des Kommissars die Schuld. Und dann die Tatsache, daß er selbst sein Medikament nicht genommen hatte und daß er die ganze Nacht husten würde!

Seine Tante Louise, die so gesund wirkte, hatte schon ihre dritte Unterleibsoperation hinter sich, und ihr Mann, der Konditor, hatte einen Bruch, der ihm das ganze Jahr über die Laune verdarb.

War das überall so? Gab es keine Möglichkeit, dem Leben andere Seiten als Krankheiten und Unannehmlichkeiten aller Art abzugewinnen? Es hieß, daß Monsieur Pissart seit drei Jahren den Bankrott Monat um Monat hinausschob, und er wirkte in der Tat wie ein Mann, dem die Sorgen über den Kopf wachsen.

Also?

»Es wäre besser, wenn wir schon verheiratet wären«, meinte er unvermittelt zu Babette, ohne zu wissen, warum er plötzlich darauf kam.

Einer seiner Kollegen bei der Eisenbahn hatte vor zwei Monaten geheiratet. Wochenlang hatte er seine Kataloge, die Möbel und andere Dinge enthielten, in die Güterabfertigung geschleppt. Auf dem Nachhauseweg hatte er ihnen dann die Wohnung gezeigt, die er im zweiten Stock eines neuen, roten Backsteinhauses gemietet hatte.

»Du wirst sehen, daß sich noch alles einrenkt«, seufzte Babette und ging zu den Dominospielern, die sie riefen, um zu zahlen.

Dann legte sie das Geld in die Schublade, die als Kasse diente, und das Trinkgeld in ihre eigene kleine Schachtel.

»Gehst du schon?«

Es war erst elf. Die Kartenspieler würden wohl noch eine Weile brauchen, aber Paumelle war aufgestanden und rief:

»Was bin ich dir schuldig, Süße?«

Er ging hinaus, und Charles flüsterte:

»Ich komm vielleicht zurück.«

Er hätte in diesem Augenblick nicht sagen können, warum er Paumelle unbedingt folgen wollte. War doch jetzt der Zeitpunkt gekommen, da Babette die Läden schloß und er sie auf der dunklen Straße hätte umarmen können.

Er wollte es eben. Er wollte es, weil er traurig war, weil er in diesem Augenblick an nichts mehr glaubte, weil er sich, abgesehen vom ganzen Unglück der Welt, an nichts mehr gebunden fühlte.

Es wäre geradezu eine Erleichterung gewesen, wenn Paumelle sich umgewandt und sich mit ihm geprügelt hätte, wenn ihn ein Faustschlag in den Matsch auf der Straße geschleudert hätte.

Doch Paumelle drehte sich nicht um. Er ging die Kais entlang, schlug dann die Richtung zur Mole ein, wo nur noch Lagerplätze kamen. Zuerst fragte Charles sich:

»Was kann er dort nur wollen?«

Und er war fast schon davon überzeugt, der andere locke ihn in diese Gegend, um ihn umzubringen.

Doch nein. Vor einem Gatter blieb Paumelle stehen und zog einen Schlüssel aus seiner Tasche. Dann schloß er das Gatter wieder, ging über ein unbebautes Gelände und trat in eine Holzhütte ein, in der er eine Kerze anzündete.

So war das also! Nie hatte Canut sich gefragt, wo Paumelle schlief, seit das Schiff seines Vaters mit gesplissenem Rumpf in einer Ecke des alten Hafens lag und nur noch ein Mensch wie der Idiot dort mit den Ratten schlafen konnte.

Paumelle verbrachte also seine Nächte in dieser Baracke. Unwillkürlich blieb Canuts Blick an einem großen Schild hängen, das den Lagerplatz beherrschte:

Clovis Robin
Bauarbeiten aller Art

Er hätte nicht weiter darüber nachzudenken brauchen, hätte gleich wieder zum Amiral zurückgehen können, um nicht den Augenblick zu verpassen, da er Babette umarmen konnte. Bei Monsieur Laroche in Rouen sprach man noch immer über die »Télémaque« und unterhielt sich mit Geschichten von Schiffsuntergängen. Monsieur Abeille erzählte im Theaterfoyer Einzelheiten über die Familie Canut und über die Wunde am Handgelenk, die am Anfang jener Tragödie gestanden hatte, die die Gemüter jetzt beschäftigte.

Kommissar Gentil hatte sich im Hotel Normandie am Bahnhof schlafen gelegt.

Indessen fügte Charles Canut, ganz allein im Dunkeln, in der Nähe der brandenden See, plötzlich und ohne es zu wollen die einzelnen Elemente zusammen, die im Zusammenhang zu sehen noch niemandem eingefallen war.

Clovis Robin, der Bauunternehmer, war der Schwager von Emile Février. Der ehemalige Steuermann hatte nämlich dessen Schwester, Georgette Robin, in Südamerika kennengelernt, wo sie als Erzieherin bei einer Familie gearbeitet hatte.

Man wußte weiter nichts, als daß sie sich getrennt

hatten. Georgette Robin war nie wieder in der Heimat aufgetaucht.

Paumelle aber hatte einen Schlüssel zum Lagerplatz und durfte dort in einer Hütte schlafen!

Paumelle hatte ein Verhältnis mit Emma, die ein Café in der Nähe der Villa des Mouettes besaß, und dieses Café war der einzige Ort, der bis nach Mitternacht erleuchtet sein konnte, der einzige Ort, den Monsieur Février hatte aufsuchen können.

Natürlich gelang es Canut nicht auf Anhieb, Ordnung in all dies zu bringen. Doch hatte ihn eine fieberhafte Unruhe gepackt. Er hatte Lust zu laufen. Er ging sehr viel schneller als gewöhnlich und kam in dem Augenblick zum Amiral, als Babette die Läden schloß.

Er packte sie von hinten, drückte sie so fest an sich, daß er ihr weh tat, preßte seine Lippen auf ihren Mund und blieb eine Weile mit geschlossenen Augen so stehen, während sie sich sanft von ihm löste.

»Was hast du?«

»Nichts, ich glaube, ich habe etwas entdeckt.«

»Erzähl!«

»Das kann ich noch nicht. Es ist noch nichts Sicheres. Hör zu. Kann ich heute abend...«

Das war sein Geheimnis, das einzige, das er nicht mit seinem Bruder geteilt hatte. Zweimal, nur zweimal, hatte Babette ihm nach Lokalschluß die kleine Hintertür geöffnet. Alle hatten schon geschlafen, und sie war bereits im Hemd gewesen. Leise war er in ihr Mansardenzimmer hochgestiegen, das unmittelbar über dem Zimmer von Jules lag.

»Verstehst du, ich werde versuchen, es dir zu erzählen. Du mußt mir dann sagen...«

Sie vergewisserte sich, daß man ihnen nicht zuhörte. Von dort, wo sie stand, konnte sie sehen, daß die vier Spieler ihre Partie beendeten.

»Sehr vorsichtig ist das aber nicht«, flüsterte sie.

»Ich schwöre dir, heute ist es sehr, sehr wichtig!«

Nicht nur wichtig, daß er mit ihr sprach! Nicht nur, daß er sie um Rat fragte, sondern auch, daß er in dem fiebrigen Zustand blieb, in den ihn seine Entdeckung versetzt hatte.

»Also, du brauchst nur zu warten. Aber nicht vor einer guten halben Stunde... Du mußt deine Schuhe ausziehen.«

Jules erhob sich und seufzte:

»Das ist keine Kunst. Wenn der dritte König und die Herzzehn nicht in derselben Hand gewesen wären...«

Ein feiner Regen setzte ein.

6

Sie war erst eine knappe Viertelstunde im Bett gewesen, und doch war das Zimmer schon von ihrem Duft erfüllt. Gewiß, der Raum war klein, gerade groß genug für ein Eisenbett, einen Waschtisch und eine Garderobe mit drei Haken, die aber für die Kleidungsstücke Babettes ausreichte, einschließlich der Unterwäsche, die sie gerade ausgezogen hatte.

Fröstelnd kroch sie wieder ins Bett und zog sich die Decke bis unters Kinn. Ihre Augen, die heute abend goldfarben waren, betrachteten die aufragende Silhouette von Charles, dessen Kopf beinahe die schräge Decke berührte.

»Kommst du ins Bett?« fragte sie flüsternd, weil Jules direkt unter ihnen schlief.

Er zögerte. Als er in das hell erleuchtete Zimmer getreten war, hatte er Babettes Körper kurz unter dem Hemd durchschimmern sehen. Jetzt, als er den Duft ihrer Seife, ihrer Wäsche roch, verspürte er Lust, sich die Kleider vom Leib zu reißen und sich in dieses viel zu schmale, für ihn viel zu kurze Bett zu stürzen, wie er es schon zweimal getan hatte, während Babette ihn, vor allem beim ersten Mal, unverwandt angesehen hatte.

»Es ist wichtiger, daß ich mit dir spreche«, flüsterte er, die Stirn in sorgenvollen Falten. Vorsichtig setzte er sich auf den Rand des Bettes, damit es nicht quietschte.

Babette fand keinen Gefallen an der Liebe. Nicht oder noch nicht. Das wußte Charles nicht, und er machte sich auch keine Gedanken darüber. Er schämte sich fast, mit ihr zu schlafen, und hätte es viel natürlicher gefunden, eine Frau wie Emma aufzusuchen, wenn er es brauchte.

Er suchte unter der Bettdecke Babettes Hand.

»Ich muß dir erklären, was ich herausgefunden und was ich getan habe. Vielleicht kannst du mir einen Rat geben.«

Die Dachluke über ihren Köpfen war schwarz von der Dunkelheit. Sie hörten den Wind über sie hinstreichen.

»Wir sollten das Licht lieber ausmachen«, meinte Babette.

Er drehte den Keramikschalter, und die schirmlose Birne erlosch.

»Komm näher, damit ich leise sprechen kann.«

Babettes Haare kitzelten seine Wange, und er spürte, wie ihm der Schweiß den Nacken hinunterlief.

»Also, zuerst bin ich Paumelle begegnet...«

Er sprach langsam, suchte nach Worten, suchte vor allem, Ordnung in seine Gedanken zu bringen. Er wollte alles erzählen, Dinge erklären, die in seiner Vorstellung noch gar keine feste Gestalt angenommen hatten.

Er bekam Fieber, wie es ihm abends oft passierte. Seine Wangen wurden heiß, seine Hände feucht. Babette, die es bemerkt hatte, wagte nicht, es ihm zu sagen. Er lastete mit seinem ganzen Gewicht auf ihr, was für sie sehr unbequem war. Einmal hörte sie überhaupt nicht mehr zu, sondern dachte nur noch daran, wie sie ihre eingeklemmte Schulter freibekommen könnte.

»Als ich gesehen habe, daß er so lange bei der Flämin blieb, habe ich mir gesagt...«

Zum ersten Mal konnte er über etwas sprechen, was er getan hatte. Dadurch, daß er seine Unternehmungen in Worte faßte, erschienen sie ihm bedeutsamer, fast heroisch.

»Rück ein Stück weg, Charles!«

»Weißt du, das Interessanteste ist, daß ich herausgefunden habe, wo er schläft, denn...«

Sie kniff ihn in die Hand, aber er begriff nicht. Sie sagte:

»Pscht!«

Daraufhin lauschten sie beide, vernahmen das Knakken einer Treppenstufe, das tönte, als käme jemand langsam, seinerseits lauschend, herauf.

»Ist das Jules?« fragte Canut.

Sie antwortete mit einer Kopfbewegung, in der Dunkelheit konnte er aber nicht erkennen, ob sie nickte oder den Kopf schüttelte.

»Wer ist da?« fragte eine leise Stimme auf dem Treppenabsatz, direkt vor der Tür.

Schweigen.

»Antworte, Babette, wer ist bei dir, du Flittchen?«

»Was ist denn los?« murmelte sie, wie jemand, der am Erwachen ist.

Doch die Tür war nicht abgeschlossen. Jules öffnete sie, machte Licht, und Charles blieb keine Zeit mehr, mit seinem großen, völlig bekleideten Körper aus dem Bett zu kommen.

Jules war im Nachthemd, über das er eine Hose gezogen hatte. Seine Augen erschienen noch aufgequollener als sonst, die Lider noch geschwollener.

»Du bist es also!« stellte er nur mäßig erstaunt fest.

Mehr staunte er darüber, daß er ihn völlig angekleidet antraf, daß sein Aufzug keinerlei Unordnung aufwies. Wenn Charles geschworen hätte, er habe Babette niemals angerührt, hätte er gewiß geantwortet:

»Das ist dir durchaus zuzutrauen!«

Inzwischen waren sie beide gleichermaßen verlegen. Charles war aufgestanden, und nun standen da zwei Männer, beide von respektabler Größe, in dem kleinen Zimmer, während die Kellnerin wieder ins Bett gekrochen war.

»Bei mir hättest du das nicht tun sollen«, knurrte Jules schließlich, eher ärgerlich als wütend. »Du mußt verstehen, wenn ich solche Sachen erlauben würde ...«

»Wir sind verlobt!« erwiderte Charles.

»Um so weniger solltet ihr so etwas tun!«

»Ich mußte unbedingt mit Babette sprechen. Sie wissen, daß das tagsüber nicht möglich ist.«

»Was hast du ihr erzählt? Aber gehen wir hier raus! Gute Nacht, Babette! Und daß ich dich nicht mehr bei so was erwische, verstanden?«

Er ließ Charles vorgehen, schloß die Tür, machte Licht im Treppenhaus. Ein Stockwerk tiefer stand die Tür zu seinem Zimmer offen. Er zögerte, Canut dort eintreten zu lassen, und ging schließlich mit ihm ins Café hinab, wo er nur eine einzige Lampe anknipste. Dadurch veränderte sich die Gaststube in ihrem Aussehen, ja sogar in ihrem Ausmaß.

»Du verstehst, daß ich solche Dinge nicht dulden kann! So was spricht sich schlußendlich immer herum, und die Gäste nehmen sich dann Freiheiten heraus...«

Der Ofen war noch warm, und Jules rückte nahe an ihn heran. Er schien nicht zu wollen, daß Charles ging, vielleicht weil er an Schlaflosigkeit litt.

Canut wußte nicht, wie er sich verhalten sollte. Er hatte nichts gegen Jules, und trotzdem fühlte er sich ihm gegenüber nicht unbefangen. Das lag vielleicht daran, daß für seine Tante Louise und die übrige Familie ein Kneipenwirt ein Sonderwesen war, ein Mittelding zwischen den anständigen Leuten und den anderen. Zudem war Jules taktlos, absichtlich und aus Neigung taktlos, und Charles verabscheute Taktlosigkeit.

Schließlich war der Wirt fünfundfünfzig oder sechzig. Canut gehörte zu einer anderen Generation.

»Setz dich einen Augenblick. Ich glaube, es kommt mir gar nicht so ungelegen, dich zu sehen.«

Die Leute erzählten, daß Jules schon im Gefängnis gesessen habe. Doch war es dabei um gepanschten Alkohol gegangen, was seine Gäste nicht für ehrenrührig hielten.

»Setz dich ein bißchen näher zu mir, damit ich nicht so schreien muß. Ich kann mir vorstellen, was du der Kleinen da oben zu erzählen hattest. Mir ist dein Verhalten heute schon den ganzen Abend aufgefallen.«

Obwohl er auf der Hut war, merkte Charles, daß es nicht schwer sein würde, ihm die Würmer aus der Nase zu ziehen. Gegenüber Jules fühlte er sich wie ein Kind, das vor seinem Lehrer steht. Als er zu husten begann, knurrte der Kneipenwirt:

»Schlimm, schlimm!«

»Ich hab mich zu sehr erhitzt.«

»Natürlich, wenn du dich angezogen ins Bett legst! Setz dich näher zum Ofen, sag ich dir ... Warte! Bring die dritte Flasche rechts, auf dem zweiten Bord. Und bring Gläser mit!«

»Danke, ich ...«

»Du trinkst einen Schluck, das wird dir gut tun.«

Unverwandt sah er ihn an, ernst, mürrisch, mit einem Gesicht, als sei er unschlüssig, ob er mit der Sprache herausrücken solle oder nicht.

»Paumelle hat uns erzählt, daß du ihm den ganzen Tag lang gefolgt bist.«

»Nur den ganzen Nachmittag über.«

»Glaubst du, daß er es ist?«

Charles war verwirrt. Es war nicht wie beim Richter. Er war bereit, sich anzuvertrauen, er brauchte nur noch ein bißchen gedrängt zu werden.

»Das habe ich nicht gesagt.«

»Aber du denkst es! Stell die Flasche wieder auf den Tresen. Setz dich. Ich hasse es, mit Leuten zu sprechen, die stehen. Natürlich glaubst du nicht, daß dein Bruder es dem Alten besorgt hat.«

Warum benutzte er solche Worte? Immer nur solche: *es jemandem besorgen!* Charles stieß sich an ihrer Grobheit, ihrer zynischen Unmißverständlichkeit.

»Alle sind der gleichen Meinung!« erwiderte er.

»Möglich. Ich sage nicht, daß es nicht stimmt. Trotzdem ...«

»Trotzdem was?«

»Nichts. Es ist nicht der Augenblick, um zu streiten. Also, du hast dir in den Kopf gesetzt, es sei der junge Paumelle gewesen, weil er ein Taugenichts ist.«

»Ich habe ihn bei der dicken Emma getroffen.«

»Und?«

»Das ist gleich neben der Villa.«

»Was beweist das?«

»Die Kneipe muß um Mitternacht noch geöffnet gewesen sein.«

Das machte Eindruck auf Jules. Er dachte eine Weile nach. Charles fragte sich, ob er auch noch mit seinem letzten Argument herausrücken sollte. Doch bevor er den Mund öffnen konnte, stieß der andere einen Seufzer aus und lehnte sich in seinem Stuhl zurück wie ein Mann, der sich entschlossen hat zu sprechen.

»Man kann nicht wissen, welche Wendung die Dinge noch nehmen werden. Dein Bruder ist ein braver Bursche. Es ist traurig, daß ein Mann wie er im Gefängnis ist, vor allem, wenn er nichts getan hat. Dennoch hast du vielleicht unrecht, wenn du dich auf den kleinen Paumelle versteifst.«

Die Art, wie er diese letzten Worte hervorbrachte, ließ darauf schließen, daß er Canuts Vorurteile gegenüber dem jungen Mann nicht teilte.

»Sicher ist er ein Nichtsnutz, aber das ist nicht seine Schuld. Wenn dein Bruder und du nicht die Tante gehabt hättet, die sich um euch gekümmert hat...«

Er war auf dem besten Wege, Canut zu entmutigen, indem er ihm bewies, daß sein Verdacht unbegründet, daß die Arbeit dieses Tages umsonst gewesen war. Charles wurde bereits unsicher.

»Versteh mich nicht falsch, ich verteidige ihn nicht. Wenn er Février umgelegt hat, dann hat er selbst schuld, und er wird teuer genug dafür bezahlen, denn man wird ihn härter anfassen als irgend jemand sonst...«

Die Läden waren geschlossen. Mit der einen Lampe, die brannte, wirkte das Café ein wenig wie eine Bühne nach der Aufführung. Babette oben hatte bestimmt Mühe, wieder einzuschlafen. Gewiß spitzte sie die Ohren, erstaunt, daß sie ihren Chef nicht wieder hochkommen gehört hatte.

»Du bist zu jung, um von bestimmten Dingen zu wissen. Aber ich kann dir davon erzählen. Du kannst damit anfangen, was du willst. Es ist deine Angelegenheit, nicht meine. Georgette Robin hast du nicht gekannt, oder?«

»Nein.«

»Ich habe sie gekannt, als sie noch Zimmermädchen war und ihr Bruder Maurer. Hör gut zu. Es ist wahrscheinlich wichtiger, als du dir vorstellen kannst. Georgette war ein schönes Mädchen, nach meiner Auffassung das schönste Mädchen von Fécamp. Da ist deine Babette ein Dreck dagegen! Reg dich nicht auf! Du hättest unrecht, und morgen früh würde es dir leidtun. Was ich gesagt habe, habe ich gesagt, und es ist das, was ich denke. Schlaf mit Babette, wenn es dir Spaß macht, aber nicht in meinem Haus. Heirate sie, wenn du willst. Später werden wir sehen, ob du damit recht gehabt hast. Ich wollte Georgette heiraten, obwohl man zu meiner Zeit so eine eher nicht heiratete.«

Verblüfft und mit großen Augen sah Charles den andern an. Abermals wurde ihm bewußt, daß er bislang gelebt hatte, ohne irgend etwas von dem zu wissen, was um ihn her geschah, ohne irgend etwas vom Leben der anderen zu begreifen.

War es nicht ganz natürlich, daß auch die Leute früherer Generationen ihre Liebesabenteuer gehabt hatten? Warum sollte Jules nicht in eine Babette verliebt gewesen sein, die Georgette geheißen hatte?

Vielleicht war er auch zu ihr aufs Zimmer gegangen? Und wirklich, da erzählte er es auch schon:

»Ich hab es gemacht wie du. Ich habe meine Schuhe ausgezogen, wenn ich die Treppe hochstieg, aber sobald ich oben war, hab ich auch noch anderes ausgezogen. Und ich sag dir nochmal, das war eine andere Frau, die hatte Blut in ihren Adern. Ich war damals Kellner, wenn es dich interessiert. Ich arbeitete im Bahnhofsrestaurant. Eines Tages hat Georgettes Bruder gedroht, er werde mir die Fresse einschlagen, wenn ich seine Schwester nicht in Ruhe lasse. An einer Straßenecke sind wir mit Fäusten und Füßen übereinander hergefallen, bis wir beide bluteten. Acht Tage später hat Georgette einen andern genommen. Ein halbes Jahr später ist sie mit einer Familie, die ihre Ferien in Etretat verbracht hatte, nach Amerika gegangen. Damals mußte dein Vater gerade zum Militär.«

Charles war auf ungewöhnliche Verwicklungen gefaßt. Er sagte kein Wort und wartete ab, was der andere ihm zu offenbaren hätte.

»Damals habe ich hin und wieder Février bedient, der älter war als ich. Aber ich habe mir nicht träumen lassen, daß er eines Tages irgendwo in Südamerika, ich weiß nicht genau wo, meine Georgette heiraten würde und daß sie Jahre zusammenleben würden. Da staunst du, mein Sohn, was so alles in der Welt passiert, was?«

Charles erblickte plötzlich im Türrahmen die verstört wirkende Babette, die einen grünlichen Mantel über ihr Nachthemd gezogen hatte. Sein Blick verriet ihn. Jules drehte sich um und polterte:

»Geh gefälligst wieder schlafen! Wir haben Wichtiges zu besprechen!«

Und er fügte hinzu:

»Du hast ja nicht einmal Pantoffeln an! Bist wohl von allen guten Geistern verlassen! Verschwinde, oder ich mach dir Beine!«

Beruhigt verschwand sie.

»Ist so schon kränklich und geht mitten im Winter mit bloßen Füßen spazieren! Wie du, der . . . Na ja. Was hab ich gesagt? Und überhaupt, warum erzähle ich dir das eigentlich alles? Na ja, fahren wir fort! Georgette und Février hatten genug voneinander und haben sich getrennt. Vielleicht haben sie sich scheiden lassen, ich weiß es nicht. Aber eines noch: Vor vierzehn Tagen, also noch vor dem zweiten Februar, hat jemand Georgette in Le Havre gesehen. Sie war dort mit einem Mann. Vielleicht ihr neuer Ehemann, vielleicht ihr Liebhaber.«

Dieses Mal blieb Charles der Mund offenstehen. Er war erschlagen von all den Möglichkeiten, die diese Mitteilung eröffnete.

»Und ich kann dir sagen, daß sie noch immer dort ist. Jedenfalls war sie es gestern noch, sie ist nämlich wieder gesehen worden in einem Café an der Place Gambetta. Diesmal war ihr Bruder bei ihr.«

Je genauer seine Informationen wurden, um so mürrischer wurde er. Als wolle er sagen:

»Du verdienst nicht, daß ich dir so viel erzähle. Aber was soll's. Mach daraus, was du kannst.«

Und Charles fügte schon dieses neue Glied in die Kette von Zusammenhängen, die er bereits entdeckt hatte: Emmas Kneipe in der Nähe von Févriers Haus, Paumelle, der ein Freund der Flämin war und in einer Baracke schlief, die Clovis Robin gehörte...

... Jenem Clovis Robin, dessen Schwester die Frau von Février gewesen war.

Er war aufgestanden, als sei er im Begriff, unverzüglich nach Le Havre abzureisen, ohne weiter zuzuhören.

»Was machst du? Gib mir die Flasche, los! Es hat wohl keinen Zweck, dir zu sagen, daß du für dich behalten sollst, von wem du diese Informationen hast. Du erzählst es ja doch weiter.«

»Ich schwöre Ihnen...«

»Schwör nicht! Trink! Trink, sage ich! Ich wette, daß du den ersten Zug nach Le Havre nimmst!«

»Aber...«

»Und wie willst du es anstellen, sie zu finden? Na? Sag schon! Willst du in allen Hotels nach ihnen suchen? Du glaubst, die Portiers werden dir etwas sagen? Und selbst wenn sie dir Auskunft geben, du weißt ja nicht mal, ob Georgette sich nicht wieder verheiratet hat und einen anderen Namen trägt.«

»Das stimmt!«

»Wenn du es nicht so eilig hättest, hätte ich dir schon

längst gesagt, daß sie im Hotel Deux Couronnes wohnt.«

Er lachte, als wollte er durch übermäßige Ironie wettmachen, was er da eben getan hatte. Sein Lachen endete in einer Grimasse, weil er wieder einen seiner Krämpfe hatte, die in der Brust begannen und sich bis in den linken Arm fortsetzten. Er mußte dann eine ganze Weile zusammengekrümmt verharren, konnte weder sitzen noch stehen. Wenn ihm das zustieß, versteckte er sich meist hinter einer Tür.

»Was haben Sie?«

Er bedeutete Charles zu schweigen und wartete. Er wußte schon im voraus, wie lange der Krampf dauern würde. Schließlich richtete er sich wieder auf und lächelte schwach.

»Das ist ohne Bedeutung... So, nun kannst du Leine ziehen. Du hast gut daran getan, daß du hergekommen bist, mit Babette zu schlafen, sonst hätte ich dir wahrscheinlich nichts erzählt.«

Er atmete tief, schüttelte sich, schlurfte in seinen Pantoffeln zur Tür und zog den Riegel zurück.

»Worauf wartest du?«

»Auf nichts, ich...«

Charles war bewegt. Er hätte sich gern bei Jules bedankt und ihm gesagt, daß er ihm leid tue, wegen der Anfälle und wegen der Ermahnungen, die er vom Arzt bekommen hatte. Das alles ging ihm nahe, seit er wußte, daß einst ein Jules, der Kellner gewesen war, zu Georgette aufs Zimmer gestiegen war.

»Mach dir klar, daß all dies unter Umständen gar nichts bedeutet. Gute Nacht!«

Feucht schlug ihnen die Nacht entgegen. Zum ersten Mal drückte Charles die dicke, weiche Hand des Wirts. Dann ging er rasch davon, während sich die Tür hinter ihm schloß.

Wenn man ihn nur in Ruhe hätte nachdenken lassen! Er hatte versucht, beim Nachhausekommen jedes Geräusch zu vermeiden. Er hatte die Treppenstufe, die knackte, ausgelassen und die Taschenlampe benutzt, um seine Mutter nicht durch das Licht zu wecken.

Trotzdem öffnete sich die Schlafzimmertür, als er auf dem Treppenabsatz ankam. Seine Kusine stand vor ihm, mit verschlafenen Augen, unordentlichem Haar, in ihrem ältesten Kleid, das sie angezogen hatte, weil sie auf dem Kanapee schlafen mußte. Sie schloß die Tür hinter sich, trat in Charles' Zimmer und flüsterte:

»Warum kommst du so spät nach Hause?«

Ihr Atem roch faulig, wie wenn sie schlecht geschlafen hätte.

»Was ist mit Mutter?«

»Sie schläft. Sie hat ein wenig Fieber. Den ganzen Tag war sie unruhig.«

Und dann sagte Berthe halblaut zu sich selbst:

»Wo hab ich es bloß hingetan?«

»Was?«

»Das Schreiben, warte...«

Ganz verknüllt fand sie es in ihrer Bluse. Berthe war rund und hellhäutig. An diesem Abend glänzte ihr Gesicht, die straff nach hinten gekämmten Haare entblößten ihre sehr hohe, gewölbte Stirn. Sie flüsterten. Es war wie bei Babette im Zimmer.

»Es ist heute abend gekommen.«

Es handelte sich um einen offiziellen Brief, halb vorgedruckt, halb getippt, in dem Madame Canut mitgeteilt wurde, daß der Untersuchungsrichter sie am nächsten Tag um zehn Uhr vormittags zur Vernehmung aufsuchen würde.

»Was hältst du davon?« fragte Berthe unruhig. »Mama sagt, daß der Arzt ein Zeugnis ausstellen könnte, daß deine Mutter krank ist.«

Immer neue Komplikationen! Ausgerechnet jetzt, wo er einen kühlen Kopf brauchte und keine Zeit hatte!

»Es ist auch ein Brief von der Eisenbahn da.«

Darin stand, daß sein Urlaub genehmigt worden war, allerdings beschränkt auf vier Tage, weil einer seiner Kollegen krank geworden war.

»Eine schlechte Neuigkeit?«

»Nein. Ich weiß nicht.«

Es war zwei Uhr morgens. Die Stadt schlief, während die beiden hier nicht wußten, was sie tun sollten, nicht wagten, in normaler Lautstärke zu sprechen, und keine Lust verspürten, schlafen zu gehen.

»Wo warst du?«

»Es würde zu lange dauern, dir das zu erzählen.«

»Meine Mutter hat Angst, daß du eine Dummheit machen könntest. Sie meint, du seist viel zu nervös und du müßtest anders vorgehen.«

»Wie denn?« meinte er, plötzlich bissig.

»Ich weiß es nicht. Vielleicht gibt es Dinge, die du der Polizei melden solltest. Falls Pierre nicht der Mörder ist, dann muß es doch...«

Er wandte den Blick ab. Er spürte, daß man selbst in der eigenen Familie von der Unschuld seines Bruders nicht überzeugt war.

»Nun, was?«

»Die Untersuchung...« stammelte sie und zog ihren Schal über der Brust zusammen.

Er verachtete sie. Ihre Mutter hätte es gern gesehen, wenn sie Charles geheiratet hätte. Er wußte aber, daß sie seit ihrer Kindheit in Pierre verliebt war. Sicherlich betete sie in jeder Messe und in jedem Abendgottesdienst für ihn. Sicherlich machte sie auch neuntägige Andachten für ihn!

»Geh schlafen.«

»Kann ich nicht vielleicht nach Hause gehen?«

»Doch nicht um diese Zeit. Es regnet.«

Er wollte, daß sie da war, um sich im Notfall um seine Mutter zu kümmern, denn ihm fehlte der Mumm dazu.

»Du bist so merkwürdig, Charles.«

»Ich muß nachdenken. Laß mich!«

Ursprünglich hatte er vorgehabt, den Zug um sechs Uhr zwölf nach Le Havre zu nehmen. Jetzt wußte er nicht mehr so recht. Mußte er nicht da sein, wenn der Richter kam?

Er sah jetzt schon die chaotische Szene vor sich. Der Richter würde mit dem Protokollführer und gewiß auch mit Monsieur Abeille erscheinen. Sie würden die Nase in ihre Angelegenheiten stecken, während seine Mutter in ihrem Schrecken bestimmt einen Anfall bekäme und die Leute sich auf der Straße zusammenrotteten.

Dann dachte er an Pierre in seiner Gefängniszelle, und das verursachte ihm einen solchen physischen Schmerz, daß er das Gesicht verzog.

»Geh schlafen, Berthe. Ich muß mich ausruhen.«

Er wußte nicht, ob er Ruhe brauchte oder nachdenken mußte. Er wußte nicht mehr, welche Rolle er in dem Abenteuer spielte, das ihm eine unbekannte, noch nicht durchschaubare Welt offenbarte. Aber er ahnte, daß es zu dramatischen Verwicklungen kommen würde.

»Gute Nacht, Charles!«

Wie gewöhnlich küßten sie sich auf die Wangen. Ohne Lärm zu machen und im Dunkeln begab Berthe sich wieder auf ihr Kanapee im Nebenzimmer, aus dem Madame Canuts regelmäßige Atemzüge zu hören waren.

»Ich werde nichts sagen!« beschloß er, als er sich auszog.

Und die Tatsache, daß er sich auszog, rief ihm das Zimmer Babettes ins Gedächtnis, ließ in ihm so etwas wie Bedauern aufsteigen, daß er die Gelegenheit nicht genutzt hatte. Doch jetzt war ihm der Gedanke peinlich, daß auch Jules einst eine Hotelangestellte in ihrem Zimmer aufgesucht hatte. Als wäre Babette dadurch gewöhnlicher geworden, zu einer Kellnerin wie alle anderen! Die obendrein nicht recht bei Gesundheit war, wie der Kneipenwirt gemeint hatte.

Und Jules hatte Georgette nicht geheiratet...

Würde auch er...?

Es gelang ihm nicht einzuschlafen. Das Bett war eisig. Seine Füße waren kalt. Die ganze Nacht würde er husten.

Natürlich wäre es einfacher, wenn er – wie seine Kusine es vorgeschlagen hatte – dem Richter alles zu erklären versuchte, oder dem Kommissar, der es vielleicht besser verstehen würde. Sie würden sich dann mit der Untersuchung in Le Havre befassen. Wer weiß, vielleicht würden sie sogar die Wahrheit herausfinden.

Dann dachte er an Pierre, wie er ihn im Zimmer des Richters gesehen hatte, einen Pierre, der zu stolz gewesen war, seine Unschuld zu beteuern.

Es durfte nicht wahr sein! Es lag bei ihm allein, Pierre zu retten! Um jeden Preis mußte er ihn retten!

Er warf sich hin und her, und mit jeder Bewegung verlor das Bett ein wenig von seiner eisigen Kälte.

Ihm hatte nie jemand geholfen! Wie ein Fluch hatte es auf ihm gelegen! Die anderen hatten, als sie klein waren, eine Mutter und einen Vater, die über sie wachten. Sie konnten Dummheiten begehen, ohne daß es Konsequenzen für sie hatte, weil irgend jemand da war und sie wieder ausbügelte.

Bei ihm aber hatte es schon geheißen, als er noch ein Kind war:

»Du mußt ein Mann sein, Charles! Denk dran, daß deine Mutter dich braucht.«

Denn das eigentliche Kind war seine Mutter! Und Tante Louise hatte jeweils hinzugefügt:

»Du bist besonnener als dein Bruder. Du mußt für euch beide denken.«

Und er hatte sich an dieses Programm gehalten! Immer hatte er ein Mann sein wollen! Nie war er zwölf gewesen, oder fünfzehn, oder achtzehn. Man konnte sagen, daß Babette seine erste Liebe war. Und das mit dreiunddreißig!

Würde es nie irgend jemanden geben, der ihm sagen würde:

»Ruh dich aus. Mach, was dir gefällt. Ich bin da. Ich werd mich um alles kümmern ...«

Nein, von ihm wurde eine Entscheidung erwartet, auf ihn wartete man bis spät in die Nacht, auch wenn er vor Müdigkeit fast umfiel, um ihm irgendeinen elenden Brief vom Richter in die Hand zu drücken!

Vielleicht noch am ehesten Jules ...? Jules war der erste Mensch, der mit ihm gesprochen hatte, wie man mit einem Kind spricht, ein wenig schroff zwar, aber fürsorglich.

Aber auch Jules hatte schließlich gesagt:

»Nun mach damit, was du willst. Sieh zu, daß du klar kommst!«

Eine merkwürdige Müdigkeit kam über ihn, kroch wie ein Schmerz in seine Glieder, in seine Knochen, und doch konnte er nicht schlafen. Er versuchte das Bild von Georgette zu verscheuchen, die er zwar nie gesehen hatte, die er aber trotzdem wie eine ältere und dickere Babette vor sich sah, wie ein Mittelding zwischen Babette und Emma. Neben ihr stellte er sich einen Mann mit dichtem braunem Schnurrbart vor. Er wußte nicht warum.

Was machten die beiden in Le Havre, und warum suchte Clovis Robin, den niemand in Fécamp mochte, sie auf?

Wenn er dem Kommissar sagte ...

Einen Moment lang hätte er fast zu weinen begonnen. Und in diesem Moment schlief er ein und fuhr erst wieder auf, als er eine Stimme sagen hörte:

»Beeil dich, Charles! Das Auto ist unten!«

Was für ein Auto? Es war heller Tag. Von der Straße her hörte man die Geräusche des Alltags. Tante Louise hatte das schwarze Seidenkleid angezogen und trug ihr goldenes Medaillon mitten auf der Brust, wie sie es an Festtagen oder bei Hochzeiten tat.

»Siehst du, da klingeln sie schon! Ich geh öffnen.«

Sie ging hinab, während er aus dem Fenster sah. Zuerst erblickte er Monsieur Abeille, den er verabscheute, dann den Richter Laroche, der durch seinen Gabardinemantel etwas von seiner Würde eingebüßt hatte.

Er drehte sich um, weil die Tür sich wieder geöffnet hatte. Seine Mutter erschien, sehr gefaßt, sehr ruhig, auch sie festlich gekleidet, mit glattgekämmtem Haar und jenem traurigen Kleinmädchenausdruck, der ihr zwischen den Krisen eigen war.

»Beeil dich«, sagte auch sie. »Ich bin jetzt ganz sicher, daß sie Pierre freilassen werden. Zieh deinen guten Anzug an. Tante Louise führt sie schon in den Salon.«

Gerade wenn sie so war, bekam man es mit der Angst zu tun.

7

Von weitem hätte man meinen können, es handle
sich um ein Begräbnis. Vor dem Haus der Canuts
hielten zwei Polizeibeamte Wache, umgeben von einer
lärmenden Gruppe von Journalisten und Fotografen.
Die Neugierigen blieben in einiger Entfernung in kleinen Zusammenballungen stehen, wie Leute, die darauf
warten, daß der Trauerzug sich bildet, um ihm bis zur
Kirche zu folgen.

Das Pflaster war naß, aber es regnete nicht. Ein
Sonnenstrahl fiel auf ein großes buntes Plakat, das eine
Hauswand bedeckte.

Nachbarn traten in die Konditorei Lachaume, kauf-
ten ein Brötchen oder eine Brioche, in der Hoffnung,
etwas Neues zu erfahren. Aber Lachaume bediente,
und er war ein bißchen taub.

»Sei nicht so nervös, Charles! Du machst mir
Angst.«

Sie saßen in der Küche, die nie benutzt wurde und
nicht geheizt war. Der Richter hatte Charles nicht
erlaubt, seine Mutter in den Salon zu begleiten.

»Ich rufe Sie später«, hatte er ihm trocken eröffnet.

Tante Louise hatte noch einen Versuch gemacht:
»Ich muß bei ihr bleiben, für den Fall, daß ...«

»Wenn wir Sie brauchen, rufen wir Sie.«

Charles und seine Tante hatten sich in die Küche

zurückgezogen. Vor der Glastür hing eine Tüllgardine. Sie warteten darauf, zu sehen, wie sich die Salontür dahinter öffnete.

»Bei all der Unruhe bist du noch nicht einmal dazu gekommen, deinen Kaffee zu trinken!«

Das stimmte. Und obwohl Charles so lange geschlafen hatte, war er nicht besonders erholt. Im Gegenteil. Auf dem Tischrand sitzend sah er starr vor sich hin. Die Tante seufzte von Zeit zu Zeit, als säße sie in einem Totenhaus und erwarte niedergeschlagen die Leute vom Bestattungsinstitut.

Es war nicht mehr ihr Haus. Sie fühlten sich jetzt fremd dort. Einmal öffnete sich die Salontür. Der Protokollführer erschien mit dem Füller in der Hand und fragte Charles:

»Haben Sie ein Tintenfaß?«

Vom Salon her hörte man die Stimme des Richters murmeln.

»Dauert es noch lange?« fragte die Tante.

»Ich glaube nicht.«

Es dauerte schon eine Dreiviertelstunde. Die Sonne war inzwischen bis zur Scheibe gewandert, die sich über der Eingangstür befand, und warf ihre schrägen Strahlen auf die Marmorimitation der Flurwand.

Endlich öffnete sich die Tür, und dieses Mal schaute der Richter heraus und rief:

»Madame Lachaume!«

»Komm, Louise«, ertönte die Stimme von Madame Canut. »Sag ihnen, daß ich nicht gelogen habe, daß ich ihn getötet habe. Sie wollen mir nicht glauben und . . .«

Charles fuhr auf. Durch einen merkwürdigen Zufall

verliehen die Worte seiner Mutter dem verschwomme-
nen Gedanken, dem er während der langen Wartezeit
nachgehangen hatte, plötzlich feste Gestalt. Bis eben
war er noch zu keinem Entschluß gekommen, und jetzt
plötzlich eilte er durch den Flur und trat in die Tür zum
Salon. Tante Louise hatte die Mutter am Arm gefaßt
und zog sie mit sich.

»Sag ihnen, Charles . . .«

Sag ihnen was? Was hatte sie sagen wollen? Gewiß,
daß er bestätigen sollte, sie sei die Mörderin! Doch
dieser Satz gewann in der Vorstellung Canuts eine
andere Bedeutung.

»Bin ich jetzt dran?« fragte er und musterte mit
schwerem Blick die vier Wände des Zimmers.

»Kommen Sie herein!«

»Denk an Pierre, Charles!«

Er dachte an ihn, ja! Er machte zwei Schritte ins
Zimmer hinein, auf dem Linoleumfußboden, auf den
Monsieur Abeille die Asche seiner Zigarette hatte fallen
lassen. Der Protokollführer hatte die Nippsachen vom
Tisch genommen, den sie normalerweise schmückten,
um seine Papiere auszubreiten, und Monsieur Laroche,
der seinen Mantel ausgezogen hatte, saß direkt unter
dem Bild des Vaters.

»Ist Ihre Mutter häufig so?« fragte er, sobald die Tür
wieder ins Schloß gefallen war.

Man spürte, daß er von der Szene, die eben stattge-
funden hatte, beeindruckt war. Charles sah sich um, als
suche er nach einem Anhaltspunkt für das, was geschehen war.

»Anfangs schien sie ziemlich normal und bei klarem

Verstand. Dann erregte sie sich. Sie hat verlangt, daß wir sie verhaften, und behauptet, sie habe Février getötet.«

Der Richter war weniger kühl als gewöhnlich. Er betrachtete Canut mit Sympathie, als hätte ihm die Umgebung geholfen, seinen Gesprächspartner zu verstehen. Um so erstaunter war er, als er den jungen Mann sagen hörte:

»Das ist nicht wahr.«

Und gleich darauf, ruhig und nachdrücklich:

»Ich habe ihn getötet!«

Charles war zum Protokollführer getreten und fuhr, über seine Schulter gebeugt, fort:

»Sie können mein Geständnis zu Protokoll nehmen. Ich wollte nicht, daß dieser Mann in Fécamp blieb, weil seinetwegen die Krisen meiner Mutter häufiger und schwerer geworden waren. Zweimal habe ich ihm geschrieben und ihn gebeten, die Stadt zu verlassen. Er hat mir nicht geantwortet. An jenem Abend bin ich meinem Bruder gefolgt. Ich ahnte, daß Pierre weich werden würde. Als ich ihn herauskommen sah, bin ich hineingegangen.«

»Wo?«

»Durch die Tür.«

»Wie haben Sie sie geöffnet?«

»Ich habe geklingelt. Monsieur Février hat mir geöffnet.«

»Entschuldigen Sie bitte«, unterbrach Monsieur Abeille, »welche Klingel haben Sie benutzt? Dort sind zwei: eine zum Drehen und eine, die durch eine Schnur betätigt wird.«

»Es war die Klingel mit der Schnur.«

»Ich bin untröstlich«, erwiderte der Anwalt und unterdrückte ein eitles Lächeln, »aber es gibt dort keine Klingel mit einer Schnur!«

»Ich war nicht in der Verfassung, um auf solche Einzelheiten zu achten.«

Was mischte sich dieser Bursche schon wieder ein? Und was trug sich oben im Zimmer von Madame Canut zu, von wo Schritte zu hören waren?

Jetzt, da Charles wußte, was er wollte, war er noch halsstarriger als normalerweise. Schon als er heute morgen aufgestanden war, hatte er begriffen, daß er sich eine schier unlösbare Aufgabe vorgenommen hatte. Gewiß konnte er nach Le Havre fahren. Das war leicht. Aber sobald er da war? Sobald er sich im Hotel Deux Couronnes befand? Für wen sollte er sich ausgeben, um Georgette und ihren Liebhaber ausfragen zu können? Warum sollten sie ihm antworten? Warum sollte irgend jemand sich selbst belasten?

Hingegen wenn er selbst sich schuldig bekannte! Zuerst einmal mußte man Pierre freilassen. Dann würde er, Charles, einen anderen Anwalt nehmen und verlangen können, daß eine Untersuchung in der von ihm bezeichneten Richtung angestellt würde.

Warum sahen ihn die drei Männer, einschließlich des Protokollführers, der ziemlich sympathisch wirkte, so merkwürdig an? Was wußten sie, das er nicht wußte? Warum erhob der Richter sich, nachdem er einen Augenblick das Bild des Vaters angesehen hatte, und warum näherte er sich ihm langsam und legte ihm eine Hand auf die Schulter?

»Als Ihre Mutter sich eben schuldig bekannt hat«, sagte er, »habe ich ihr eine einzige Frage gestellt. Ich habe sie gebeten, mir zu sagen, an welcher Stelle des Zimmers der Sekretär stand.«

Charles murmelte mit gesenktem Kopf:

»Was hat sie geantwortet?«

»Links von der Tür.«

Charles lachte auf und sagte:

»Wie sollte meine Mutter es denn wissen, wo sie doch die Villa noch nie betreten hat?«

»Da Sie ja schon dort gewesen sind, können Sie also meine Frage beantworten?«

»Der Sekretär stand hinten...«

»Wo hinten?«

»Hinten im Salon.«

»Das heißt also, gegenüber vom Fenster?«

»Ja.«

Alle drei schwiegen sie. Charles fragte sich, ob er richtig geraten oder wie seine Mutter falsch getippt hatte.

»Nun?« fragte er ängstlich.

»Nein!« sagte der Richter.

»Sie behaupten...?«

»Daß der Sekretär zwischen den beiden Fenstern stand und immer noch dort steht. Denn es gibt zwei Fenster in diesem Zimmer.«

Charles rührte sich nicht mehr. Wie ein geschlagener Mann stand er da, mit hängenden Schultern. Niemanden blickte er an. Verschwommen nahm er eine Ecke des Tischs und ein Stück Linoleum wahr. Dann hörte er Worte an sein Ohr dringen, ohne anfangs ihre Bedeutung zu erfassen.

»Was ist nur an Ihrem Bruder, daß alle ihn so aufopfernd in Schutz nehmen?«

Schweigen. Und plötzlich begriff Charles. Der Satz klang in seinen Ohren nach:

»Was ist nur an Ihrem Bruder, daß alle ihn so aufopfernd in Schutz nehmen?«

Er schaute sie alle drei an, nahm sie aber nicht mehr recht wahr. Was er soeben begriffen hatte, das war nicht, was in dieser Minute geschehen war, auch nicht die Ereignisse vom Vormittag. Das war weit mehr. So viel mehr, daß er es nicht hätte in Worte fassen können.

Er hörte wieder, wie einst, als er noch klein gewesen war, die Stimme seiner Tante Louise:

»Paß vor allem auf deinen Bruder auf!«

Und Berthe, die sich damit abgefunden hätte, ihn zu heiraten, obwohl sie Pierre liebte!

Wenn er und Pierre irgendwo zusammen gewesen waren, hatten die Leute Pierre angesehen und gesagt:

»Was für ein schönes Kind!«

Warum war das so, wo sie sich doch so ähnlich waren, wie Zwillinge es nur sein können?

Und warum hatte er bisher hauptsächlich für Pierre und für die Erfolge von Pierre gelebt?

Hatte er nicht hin und wieder das Gefühl gehabt, daß Babette seinen Bruder aus den Augenwinkeln musterte?

Und hatte Jules ihm nicht am Vorabend erklärt:

»Ich tue das für Pierre!«

Für Pierre! Noch verstand er nicht alles, aber langsam fing es an ihm zu dämmern.

Er setzte sich und stützte den Kopf in die Hände, ohne sich um die drei anderen zu kümmern.

»Hören Sie, Canut...«

Er gab zu verstehen, daß der Richter sprechen könne, daß er zuhöre. Aber er war doch zerstreut.

»Monsieur Pissart hat dem Generalstaatsanwalt einen langen Brief geschickt, den eine große Zahl Fischer und Seeleute unterschrieben haben.«

Das paßte ins Bild! Also auch Monsieur Pissart! Charles war nicht eifersüchtig auf seinen Bruder. Im Gegenteil! Er war eifersüchtig auf die anderen, die etwas für Pierre tun konnten!

»Obwohl die Unterlagen ausreichen würden, um ihn vors Schwurgericht zu bringen, will ich die Untersuchung fortsetzen, solange das irgendeinen Nutzen zu haben scheint.«

Charles hielt den Atem an, um nicht zu sprechen. Beinahe wäre er herausgeplatzt:

»Dann fragen Sie Paumelle und Georgette und ihren Liebhaber und Emma...«

Er zögerte. Er kämpfte mit sich selbst. Wenn er damit herausrückte, blieb ihm nichts mehr zu tun! Dann würden ganz gewiß die anderen seinen Bruder retten.

»Kommissar Gentil bleibt mit einem Inspektor in Fécamp. Falls Sie irgendwelche Informationen für ihn haben, bitte ich Sie darum, sie ihm zu geben.«

»Kann ich Pierre sehen?«

»Im Augenblick nicht. Es tut mir sehr leid, aber ich kann einem solchen Besuch beim gegenwärtigen Stand der Untersuchung nicht zustimmen.

Er war nicht mehr der gleiche Mann wie in seinem Amtszimmer in Rouen. Doch damit hatte Charles nichts zu tun. Es war eher die Atmosphäre im Haus, die sich auf den Richter ausgewirkt hatte, diese einfachen, aber vielsagenden Dinge wie die fotografische Vergrößerung eines Seemanns, der den beiden Söhnen ähnelte, dieses Klavier in der Ecke oder dieser geschnitzte Eichentisch.

»Wenn Sie uns nichts mehr zu sagen haben...«

Er schüttelte den Kopf, ohne sie anzusehen. Er fühlte sich schuldig und gleichzeitig zitterte er innerlich vor unterdrückter Erwartung. Er würde für die Rettung seines Bruders sorgen! Er und nur er allein würde Erfolg haben!

Der Protokollführer räumte seine Papiere in die Aktentasche. Der Richter zog seinen Gabardinemantel an. Monsieur Abeille murmelte Charles leise zu:

»Es ist nicht recht, daß Sie kein Vertrauen in mich haben. Aber ja doch! Ich habe es schon am ersten Tag gespürt.«

So, das war vorbei! Sie gingen! Sie begaben sich zum Wagen, und mitten auf der Fahrbahn wurden sie von Journalisten umringt.

Es war vorbei, und das Haus erinnerte jetzt an ein Totenhaus, nachdem der Leichnam fortgebracht worden ist. Nie war der Salon so leer gewesen, der Flur so nackt und hallend.

»Kommst du hoch, Charles?« rief die Tante aus dem ersten Stock.

»Ja, gleich.«

Er hatte dort oben nichts zu tun. Nicht auf seine

Mutter kam es jetzt an. Was machte es schon, ob sie eine Krise mehr oder weniger hatte.

Nur auf Pierre kam es jetzt an!

Allein im Salon, hob Charles den Kopf und sah das Porträt des Vaters an. Dessen Ausdruck machte ihn betroffen. Nicht Pierre ähnelte er, obwohl sie doch beide Seeleute waren, sondern ihm, Charles. So sehr, daß er dachte, daß sein Vater, wenn er noch lebte, sicherlich ein Lungenleiden wie er gehabt hätte.

Man hätte es nicht begründen können, aber wenn man die Fotografie betrachtete, spürte man, daß es die eines Opfers war.

Warum?

Vielleicht hatten sich die Leute früher, wenn sie die beiden Kinder betrachtet hatten, nur deshalb nicht mit Charles beschäftigt, weil sie ahnten, daß es auf diesen nicht ankam, daß er nur da war, um den anderen zu stützen.

»Kommst du nicht nach oben?«

»Aber ja, ich komme!« erwiderte er ein wenig widerwillig.

Unwillkürlich öffnete er das Klavier, dessen Tasten seine Finger schon seit Jahren nicht mehr berührt hatten. Er zuckte die Achseln. Warum war er damals auf die merkwürdige Idee verfallen, Klavier spielen zu lernen?

Als ob er irgend etwas für sich alleine tun, sein eigenes Leben führen könnte! Der beste Gegenbeweis war, daß es nicht geklappt hatte, daß er rasch vor den Schwierigkeiten kapituliert hatte, die ihm die Musik bereitete!

Und warum hatte er Babette nicht schon längst geheiratet? Nicht wegen seiner Mutter. Das meinten die Leute. Auch Babette. Aber es stimmte nicht! Es war Pierres wegen!

Immer nur Pierres wegen!

Sein Vater war tot, seine Mutter lebte in ihren Träumen, und er selbst würde bestimmt nicht alt werden. Aber was bedeutete das alles, wo doch Pierre da war!

Pierre, der das Leben genoß, Pierre, der schön war, der stark war, Pierre, der heiter lächelnd in die Zukunft blickte und der nur irgendwo aufzutauchen brauchte, und schon wurde ihm Vertrauen entgegengebracht, wurde er geliebt!

Schritt für Schritt stieg Charles die Treppe hoch. Er fand die Tür halb offen.

»Was haben sie gesagt?« fragte seine Mutter, die von Tante Louise zu Bett gebracht worden war.

»Er wird gerettet werden, Mama. Hab keine Angst!«

Sie sah ihn an, und er hätte schwören können, daß eine Spur von Vorwurf in ihrem Blick lag. Ja, seine Mutter warf ihm vor, daß er da war, zu nichts nütze, in Freiheit, während Pierre im Gefängnis saß!

Er beeilte sich hinzuzufügen:

»Ich habe das gleiche versucht wie du. Ich habe behauptet, daß ich es gewesen sei, der ...«

»Und?«

Er hatte sich nicht getäuscht. Sie hätte sein Opfer angenommen!

»Ich konnte nicht sagen, wo der Sekretär gestanden hatte.«

»Glaubst du, daß du irgend etwas erreichen kannst?«

fragte die Tante, die das Zimmer aufräumte und das Fenster öffnete, um einen vereinzelten Sonnenstrahl hereinzulassen.

»Ich fahre gleich nach Le Havre.«

Eines war sicher: Irgend jemand hatte Février die Kehle durchschnitten, seine Wertpapiere und sein Geld an sich genommen und hatte dann im Laufe der Nacht die Villa verlassen.

Dieser Jemand war irgendwo. Dieser Jemand las die Zeitungen, wußte, daß Canut an seiner Stelle im Gefängnis saß und daß die Untersuchung fortgesetzt wurde.

Wußte er auch, daß Charles durch die Straßen von Le Havre ging, die von einem Sonnenstrahl belebt wurden? Wußte er, daß er in das Hotel Deux Couronnes eintrat, linkisch, da es ein recht luxuriöses Hotel war, mit einer Eingangshalle, zu der drei Marmorstufen emporführten? Wußte er, daß er dort nach dem Preis der Zimmer fragte?

»Mit oder ohne Bad?« wurde er gefragt.

Natürlich ohne Bad! Er hätte sich gern das Gästeverzeichnis angesehen, das auf dem Mahagonischreibtisch lag, aber er wagte nicht danach zu fragen.

»Haben Sie noch anderes Gepäck?«

»Nein. Ich glaube nicht, daß ich lange bleibe.«

Er hatte nur ein kleines Köfferchen mit Wäsche und Toilettensachen bei sich. Er folgte einem Hotelpagen in gestreifter Weste in ein Zimmer, das zum Platz hin lag. Kaum hatte die Tür sich geschlossen, wußte er nicht mehr, was er tun sollte.

So ging es immer. Voll guten Willens stürzte er sich in eine Aufgabe. Aber dann? Leute sprachen im Nebenzimmer, ein Paar, das sich zu streiten schien. Er stellte sich vor, dies sei das Paar, das er suche. Dann zuckte er die Achseln.

»Entschuldigen Sie, Madame, ich hätte gerne eine Auskunft.«

Die Kassiererin wandte sich ihm zu, eingerahmt von zwei hochstämmigen Palmen.

»Ich bin mit Freunden verabredet, die bei Ihnen wohnen und die ich lange nicht gesehen habe, ein Herr und eine Dame. Die Dame heißt Georgette...«

»Beleibt, mit sehr dunklem Haar?«

»Ja. Vielleicht.«

»Sie meinen Madame Ferrand?«

»Ja. Jemand aus Fécamp hat sie besucht.«

»Richtig, ihr Bruder. Ich weiß nicht, ob er im Moment hier ist.«

»Sind sie im Hotel?«

»Nein, sie sind ausgegangen. Tagsüber sind sie selten auf ihrem Zimmer. Vermutlich finden Sie sie in der Taverne Royale. Dort kann ich sie erreichen, falls ein Anruf für sie kommt.«

Wie das Hotel Deux Couronnes gehörte auch die Taverne Royale nicht zu jener Art von Lokalen, die Charles gewöhnlich aufsuchte. Trotzdem setzte er sich auf die Bank beim Fenster und bestellte ein Bier.

Er fühlte sich jetzt völlig leer, und wäre er unvermittelt gefragt worden, was er eigentlich in Le Havre mache, hätte er einige Mühe gehabt, zu antworten.

Was er machte? Er war gekommen, um Leute zu beobachten, die er nicht kannte, und um es geradeheraus zu sagen, er war in der Hoffnung gekommen, beweisen zu können, daß diese Leute dem alten Février die Kehle durchgeschnitten hatten!

Das waren Gedanken, mit denen man sich zur Not noch im Zwielicht des Café de l'Amiral oder in der zweideutigen Atmosphäre von Emmas Kneipe tragen konnte. In Le Havre, und dazu noch an einem sonnigen Tag wie diesem, wurden sie zu Hirngespinsten.

Das Deux Couronnes war ein gutes Hotel, hell und luxuriös, mit Teppichen in den Fluren, fließendem Wasser und Kupferbetten in allen Zimmern. Die Taverne Royale war heiter und besaß ein Podium für eine Kapelle, die dort gewiß ab fünf spielen würde.

Wie sollte er wissen... Charles wurde rot, als er bemerkte, daß er noch nicht einmal den Namen behalten hatte, den ihm die Kassiererin genannt hatte. Ob er es wagen würde, sie noch einmal danach zu fragen?

Moment... Es war ein Städtename. Châlons? Nein. Der Name einer bedeutenderen Stadt. Und er hörte mit *an* auf. Draguignan? Grignand?... Auch nicht. Aber so ähnlich. Und er begann mit F. Irgend etwas hatte er mit Bergen zu tun...

Es war idiotisch von ihm, daß er sich den Namen nicht sogleich notiert hatte. Zehn Minuten lang suchte Charles hartnäckig in seinem Gedächtnis. Dann dachte er nicht mehr daran, weil er die Leute betrachtete, die hereinkamen. Plötzlich sagte er halblaut:

»Ferrand!«

Das war der Name. Er war sich ganz sicher. Die

Stadt, an die er gedacht hatte, war Clermont-Ferrand.

Ihm gegenüber hatte sich ein Paar niedergelassen. Automatisch hatte er gedacht:

»Vielleicht sind es gerade die.«

Aber er glaubte es nicht. Die Frau war sehr beleibt, mindestens fünfzig, geschminkt und in ihrer Kleidung betont jugendlich. Der Mann neben ihr wirkte unscheinbar und blaß. Ein Mann zwischen fünfunddreißig und vierzig, den alles langweilte, auch die Frage des Kellners, was er zu trinken wünsche.

»Und du?« meinte er und wandte sich seiner Begleiterin zu.

Sie bestellte Kaffee, während er überlegte, was er trinken könnte. Dann sah er das Bier von Canut, hätte sich beinahe dafür entschieden, bestellte aber schließlich Mineralwasser.

Warum nicht diese beiden? Allerdings wirkten sie nicht gerade wie Leute, die etwas auf dem Kerbholz haben. Sie langweilten sich. Sie sprachen nicht miteinander, und der Mann nahm eine Zeitung, die auf dem Tisch lag, blätterte ohne besonderes Interesse in ihr, während seine Begleiterin die Leute betrachtete, die auf der Straße vorbeigingen.

Als die beiden ihre Getränke bekommen hatten, wechselten sie ein paar Worte, die Charles nicht verstehen konnte. Dann wandte sich der Mann mit einer Frage an den Kellner, der an der Kasse nachfragen ging und mit einer abschlägigen Antwort zurückkehrte.

»Sie haben sich erkundigt, ob ein Anruf gekommen ist«, sagte sich Canut.

Wegen Babette war er es gewohnt, stundenlang in

einem Café zu sitzen. Die beiden anderen hatten offensichtlich die gleiche Gewohnheit, da sie nicht nervös wurden, nichts taten, blicklos vor sich hinstarrten.

Die Musiker erschienen auf dem Podium und spielten einen Operettenwalzer, während sich die Tische nach und nach füllten und es auch auf der Straße lebhafter wurde.

Wenn diese Frau Georgette war... Charles versuchte, sie sich neben Jules vorzustellen. Denn fast hätten die beiden geheiratet. Sie waren nahezu gleichen Alters.

Eines fernen Tages würde vielleicht auch Babette...

Es war ein Fehler von ihm, immer nach Unangenehmem zu suchen. Das dumpfe Bedürfnis, Trübsal zu blasen. Pierre hatte ihm häufig gesagt:

»Du machst es dir unnötig schwer!«

Babette konnte herzlich gern fett werden. Wenn sie in diesem Alter war, würde er, Charles, schon lange tot sein. Nicht so Pierre! Pierre würde alt werden. Er würde einer dieser weißhaarigen Männer sein, die von allen um Rat gefragt werden.

Er zuckte zusammen. Die Tür hatte sich geöffnet. Ein Mann ging auf den Tisch des Paares zu, und Charles erkannte Clovis Robin, der wie in Fécamp Gummiüberschuhe trug und eine Schiffermütze.

Robin drückte zuerst der Frau die Hand, dann dem Mann, und setzte sich dann auf einen Stuhl, den beiden gegenüber, so daß er Canut den Rücken zuwandte. Als der Kellner kam, zog er mit einem Seufzer der Erleichterung seinen Mantel aus, denn er war fett und hatte einen zu hohen Blutdruck. Er war zu diesem Zweck aufgestanden, und sein Blick fiel in den Spiegel. Verdutzt blieb er stehen, die Stirn gerunzelt.

Er hatte Charles erkannt. Immer noch blickte er in den Spiegel und sah so aus, als ob er sich fragte, was der andere dort wohl mache. Einen Augenblick verspürte Charles ein wenig physische Angst. Denn der Bauunternehmer war doppelt so stark wie er, und seine dichten Augenbrauen verliehen ihm ein furchteinflößendes Äußeres.

Doch nein, der andere setzte sich. Er sprach mit seinen Begleitern, wobei er sich nach vorne beugte, wie man es in einem Café macht, das sehr voll ist oder wo die Musik so laut ist, daß man einander nicht versteht.

War Charles jetzt weitergekommen? Was konnte er tun? Clovis Robin war nach Le Havre gekommen, um sich mit seiner Schwester und ihrem Mann oder Liebhaber zu treffen. Und weiter? War das nicht sein Recht? Durften sie sich nicht in einem Café verabreden und über ihre Angelegenheiten plaudern?

Robin hatte Charles erkannt und keinerlei Schrecken gezeigt. Nur ein wenig überrascht war er gewesen, wie man es ist, wenn man sich in einer fremden Stadt plötzlich jemandem gegenüber sieht, den man ganz woanders wähnt.

Er hatte ihm nicht guten Tag gesagt, weil sie sich zwar vom Sehen kannten, aber noch nie miteinander gesprochen hatten.

Also?

Georgette lachte. Es war nicht ersichtlich warum, aber sie lachte. Ihr Mann lächelte. Seinem Aussehen nach war es nicht seine Art, frei heraus zu lachen. Beide hatten sie aber dabei nicht in Charles' Richtung geblickt, wie sie es gewiß getan hätten, wenn der Bauunternehmer von ihm erzählt hätte.

»Kellner! Einen Grenadine.«

Fünfzig Leute sprachen durcheinander, die Musik spielte, Untertassen und Gläser klirrten, und drei Personen saßen um einen Tisch herum, zwei auf der Bank, eine auf der andern Seite, auf einem Stuhl.

Das war alles! Dafür hatte Charles so viel Mühe auf sich genommen! Dafür hatten Jules und er sich nachts in der schlecht beleuchteten Gaststube des Amiral wie Verschwörer aufgeführt.

Fast hatte Canut Lust, das Lokal zu verlassen und nach Fécamp zurückzukehren. Würde Robin nicht in Erfahrung bringen, daß er im selben Hotel wie seine Schwester abgestiegen war? Und er wußte sehr wohl, daß die Mitglieder der Familie Canut normalerweise nicht in Hotels dieser Klasse abstiegen. Er würde Verdacht schöpfen.

»Monsieur Ferrand wird am Telefon verlangt.«

Monsieur Ferrand erhob sich, wie jeder andere sich an seiner Stelle erhoben hätte. Er wirkte ganz und gar nicht wie ein Mörder, der eine wichtige Nachricht erwartet. Er erhob sich und schlängelte sich zwischen den Tischen hindurch. Bei der Kasse trat er in eine hübsche Telefonzelle aus lackiertem Mahagoni ein.

Bruder und Schwester benützten die Gelegenheit nicht, um sich Geheimnisse zuzutuscheln. Besser gesagt, sie sprachen überhaupt nicht miteinander. Sie warteten ruhig, wie man auf einen Begleiter wartet, der sich einen Augenblick entfernt hat, um dann das begonnene Gespräch wieder aufnehmen zu können.

Alles wirkte schrecklich einfach und natürlich. Zwar mochte man Robin in Fécamp nicht, aber nur, weil er in dem Rufe stand, seine Arbeiter schlecht zu behandeln und seine Kunden übers Ohr zu hauen. Also ein Bauunternehmer, wie er im Buche stand, mehr nicht.

Und das Paar? Konnte man solche Leute nicht häufig in Cafés sehen? Die Frau fortgeschrittenen Alters, ein bißchen zu stark geschminkt und mit Schmuck behängt, der Mann noch jung, farblos, der Typ des abgedankten Gigolos?

Als Ferrand vom Telefon zurückkam, hatte sein Gesichtsausdruck sich nicht verändert. Mit einigen Worten informierte er die anderen über das Gespräch.

Robin wandte den Kopf ein wenig, um Canut zu betrachten. Erst jetzt erklärte er seinen Begleitern wohl:

»Das ist ein Bursche aus Fécamp, der Bruder jenes Canut, der im Gefängnis sitzt.«

Nun betrachtete Georgette ihn mit Interesse, und selbst Ferrand warf ihm einen Blick zu. Genau das Maß an Aufmerksamkeit, das man jemandem widmet, von dem in den Zeitungen die Rede ist.

Ein Zeitungsverkäufer ging mit der Abendausgabe von Tisch zu Tisch. Charles nahm ein Blatt und sah auf der ersten Seite die Fotografie des eigenen Hauses. Auf dem Bürgersteig davor standen der Richter und der Anwalt inmitten von Journalisten.

Madame Canut und ihr Sohn Charles haben
sich selbst nacheinander des Verbrechens bezichtigt

So wurden privateste Dinge, die sich in dem kleinen Familiensalon abgespielt hatten, Tausenden und Abertausenden von Gleichgültigen enthüllt! Einzelheiten wurden genannt, so auch die Geschichte mit dem Sekretär, dessen Standort weder seine Mutter noch er hatten richtig angeben können.

Charles drehte die Seite um, um die neusten Nachrichten zu lesen, und es traf ihn wie ein Schock:

Sensationelle Wende im Fall Février
Testament des Opfers aufgefunden
Février hinterläßt sein Vermögen Madame Canut

Beinahe wäre Charles aufgestanden, um auf und ab zu gehen. Dann sah er zum Tisch der drei anderen hinüber, auf dem die gleiche Zeitung noch ungeöffnet lag.

Wie bereits berichtet, hat der Mörder von Monsieur Février in der Nacht vom zweiten zum dritten Februar ein Bündel Wertpapiere und eine bestimmte Summe Bargeld mitgenommen, die sich im Sekretär des Opfers befanden.

Die Tatsache, daß bei der Haussuchung durch die Staatsanwaltschaft das Testament nicht entdeckt wurde, ließ darauf schließen, daß dieses wichtige Dokument vom Mörder gestohlen worden war.

Nun hat sich aber heute nachmittag in Rouen eine sensationelle Entwicklung ergeben. Untersuchungsrichter Laroche hat bei seiner Rückkehr aus Fécamp in seiner Post einen Umschlag vorgefunden, der das gesuchte Testament enthielt.

Ihm lag kein Begleitbrief bei, und die Adresse war aus Wörtern zusammengesetzt, die aus einer Zeitung ausgeschnitten worden waren.

Es läßt sich noch nicht sagen, ob das Dokument echt ist, in dem Emile Février alles, was er besitzt, Madame Canut vermacht und bestimmt, daß das Geld, sollte sie die Erbschaft ausschlagen, einer Stiftung für Seeleute zufallen soll.

Welche Auswirkungen diese Entdeckung auf die noch nicht abgeschlossene Untersuchung haben wird, läßt sich schwer voraussehen. Als wir auf gut Glück bei den Canuts in Fécamp vorsprachen, erfuhren wir, daß Madame Canut bettlägerig ist und von der Neuigkeit noch nichts weiß. Man hat uns außerdem mitgeteilt, daß Charles Canut, der Bruder von Pierre, heute morgen mit unbekanntem Ziel verreist ist.

Gegenüber bediente sich Robin aus einer Siphonflasche, biß das Ende einer Zigarre ab und suchte in den Taschen seiner Weste nach dem Feuerzeug. An den anderen Tischen lasen mindestens zehn Leute den gleichen Artikel, und das Orchester spielte »An der schönen blauen Donau«.

8

Wer ist dort?« wiederholte sie zwei- oder dreimal. Und ihre Stimme, die sie anhob, wenn sie telefonierte, wurde gewöhnlich, fast zänkisch.

»Wer? Ich verstehe nicht. Hallo! Ja, ich bin es. Du? Warte, ich geh zuerst die Tür schließen.«

Das Telefon befand sich an der Wand in jenem schmalen Zwischenraum, der Café und Küche voneinander trennte. Aus der Gaststube hörte man den Lärm der Gäste.

»Da bin ich wieder!« sagte sie, als sie zurückkam, wobei sie an ihrer Schürze zog, die ihr zu eng um die Hüften saß. »Wo bist du? Immer noch in Le Havre? Kannst du nicht zurückkommen?... Irgendwas stimmt nicht, ich versteh nicht, was du sagst. Vielleicht bist du zu nahe an der Sprechmuschel.«

Sie behielt die Tür im Auge, die sich jeden Augenblick öffnen mußte. Sie hatte nämlich mindestens zehn Gäste zu bedienen, und Jules hatte nicht seinen besten Tag.

»Hör zu, Charles. Du kannst mir das alles erzählen, wenn du zurück bist. Auch ich muß dir einiges berichten. Zuerst einmal ist die ›Centaure‹ zurück. Die Männer sind wütend, weil sie nur achthundert Fässer voll gefangen haben, während die ›Saint-Michel‹ fast zweitausend hat.«

Ständig versuchte Charles zu Wort zu kommen, und seine Stimme, die noch mehr verzerrt war als die Babettes, klang wie eine Trompete.

»Warte. Ich kann nicht so laut sprechen. Versteh doch . . .«

Babette, immer noch den Blick auf die Tür gerichtet, sagte sehr rasch:

»Vor einer Stunde habe ich gehört, daß Paumelle fort ist . . . Ja . . . Aber ja! Fort für immer, wie es scheint. Das ist alles. Wann kommst du zurück? Wenn ein Zug geht? . . . Ja. Ja, wir werden lange aufhaben, weil die ›Centaure‹ und die ›Saint-Michel‹ eingelaufen sind . . . Ja . . .«

Erleichtert legte sie auf. Sie telefonierte äußerst ungern. Dann rückte sie ihre Schürze zurecht, trat in die Gaststube, nahm das Tablett, das sie vor dem Gespräch vorbereitet hatte, und flüsterte, als sie an Jules vorbeikam, der eine Partie Karten zu spielen begann:

»Es war Charles.«

»Hast du's ihm gesagt?«

Sie wagte nicht zu lügen.

»Und?«

»Ich glaube, er kommt zurück. Es fährt nur kein Zug mehr von La Bréauté.«

Wenig genug hatte sie gesagt:

»Paumelle ist für immer fort.«

Es hatte aber genügt, um Charles in Rouen verwirrt aussehen zu lassen, als er sich wieder setzte. Die anderen waren noch immer da, wo er sie zurückgelassen hatte, in einer Ecke des Salons unter einer großen

Lithographie in schwarzem Rahmen, die die Schlacht von Austerlitz darstellte. Sie saßen um den Zeitschriftentisch herum. Clovis Robin saß auf dem Kanapee, vornübergebeugt, die Hände über den Knien verschränkt. Nachdrücklich und mit gedämpfter Stimme redete er auf die beiden ein, wobei er Charles beobachtete, der zurückkam.

Seit dem Nachmittag war die Situation Canuts immer schwieriger geworden. Jetzt war sie ganz und gar unhaltbar. Aber was hätte er sonst tun sollen?

Kurz nachdem Charles in der Taverne Royale seine Zeitung zu Ende gelesen hatte, hatte Robin die eigene, immer noch zusammengefaltete Zeitung mit einer automatischen Geste zur Hand genommen, wobei sein Blick auf die Schlagzeile der Titelseite gefallen war.

Ohne Aufregung hatte er zu lesen begonnen, wobei er seine Schwester und deren Freund von Zeit zu Zeit informierte. Dann hatte er die Seite umgewendet, und schlagartig hatte sich sein Gesichtsausdruck verändert. Er hatte dann den ganzen Artikel halblaut vorgelesen. Darauf hatte er Canut einen neugierigen Blick zugeworfen, als hätte er fragen wollen, was es damit auf sich habe.

Er war so nervös gewesen, daß er aufgestanden war, um sich gleich darauf wieder hinzusetzen. Dann hatten sie ungefähr zehn Minuten miteinander gesprochen, worauf Robin zur Telefonzelle gegangen war, während Georgette Charles neugierig gemustert hatte.

Welch ein Zufall hatte ihn in diesem Augenblick veranlaßt, seine Rechnung zu begleichen? Eigentlich hatte er nur bezahlt, um irgend etwas zu tun. Aber hätte er es nicht getan, wäre alles ganz anders gekommen. Die anderen hatten nämlich schon bezahlt, als sie ihre Getränke bekommen hatten. Robin kam nun aus der Zelle gestürzt und zog die Schwester und Ferrand mit sich hinaus, ohne eine Sekunde zu verlieren.

Charles folgte. Er dachte nicht nach. Er folgte ihnen. Das Hotel Deux Couronnes war nicht weit, und dorthin begaben sich die drei. Aber während Robin und sein Schwager in der Empfangshalle blieben, stieg Georgette in den Fahrstuhl, um in ihr Zimmer hochzufahren.

Robin bemerkte Charles, der vor dem Hotel auf dem Bürgersteig stehengeblieben war. Er zuckte die Achseln, wie ein Mann, der andere Sorgen hat und der seinen einfältigen Gegner nicht ernst nehmen mag.

Es schien auf jede Minute anzukommen, denn schon erschien Georgette wieder mit einer gelben Ledertasche. Die Gruppe kam wieder heraus und setzte sich rasch in Richtung auf ein stilles, bürgerliches Viertel in Bewegung. Nach einigen Minuten betätigte Robin den kupfernen Türklopfer bei einem Toreingang.

Wieder war Charles gefolgt, vorwärtsgetrieben von seinem Bedürfnis, alles in Erfahrung zu bringen. Dort stand er nun, unbeholfen, dem zugleich wütenden und verächtlichen Blick von Robin ausgeliefert. Dann war er allein, weil die Tür sich hinter den dreien schloß. Endlich konnte er das Kupferschild lesen:

Maître Jolinon
Rechtsanwalt

Die Straße war kaum erleuchtet. In einem Zeitraum von einer halben Stunde sah Charles keine drei Passanten, während man nur fünf- oder sechshundert Meter weiter den Lärm der Stadt hörte.

Obwohl er wartete, wich seine Anspannung nicht. Er hatte plötzlich das Gefühl gehabt, endlich zu handeln. Jetzt wollte er nicht zurück. Sollte Robin doch handgreiflich werden! Was machte es schon, wenn er etwas abbekam. Er hätte in diesem Augenblick geschworen, daß er auf der richtigen Spur war, daß er die Wahrheit entdecken würde.

Warum hätten die drei sich so aufregen sollen, als sie die Zeitung lasen, wenn nicht irgend etwas faul war? Warum dieses nervöse Hin und Her? Und was enthielt Georgettes Tasche?

Die Tür öffnete sich. Ein paar Leute erschienen in ihr und wechselten einige Worte. Dann gingen die drei – jetzt weit weniger gehetzt – den Bürgersteig entlang, nicht ohne sich einige Male nach Charles umzudrehen, der ihnen in einem Abstand von fünfzig Metern folgte.

Was würde er beispielsweise machen, wenn sie sich einschifften? Würde er es wagen, die Polizei zu alarmieren, um sie daran zu hindern, Frankreich zu verlassen?

Und wenn sie einen Zug nehmen würden? Wieviel Geld hatte er bei sich? Höchstens vierhundert Francs, womit er nicht sehr weit kommen dürfte.

Und doch ...

Dann eine hell erleuchtete Straße, und fast gleich darauf das Hotel, das er wiedererkannte und in das er der Gruppe folgte. Georgette sprach mit der Kassiererin. Robin sah Charles in die Augen und zuckte erneut die Achseln.

Einen Augenblick später öffnete sich eine Tür und gab den Blick auf den ganz in weiß gehaltenen Speisesaal frei, wo zehn Tische für das Abendessen gedeckt waren, wo sich aber nur ein alter Herr befand, der das Band der Ehrenlegion trug.

Auch das noch! Charles war für ein Essen in dieser Umgebung nicht gerade passend angezogen. Der leere Raum beeindruckte ihn ebenso wie der Maître d'hôtel. Verlegen setzte er sich in eine Ecke, bejahte eine Frage, die man ihm stellte und die er nicht verstand, woraufhin man ihm das Menü für fünfunddreißig Francs servierte.

Da man ihm eine halbe Flasche Bordeaux auf den Tisch gestellt hatte, leerte er sie mechanisch, während am anderen Tisch leise gesprochen wurde. Robin, der ihm das Gesicht zuwandte, blickte ihn von Zeit zu Zeit an, als wollte er sagen:

»Bleib ruhig da. Du verschwendest bloß deine Zeit.«

In diesen Momenten fühlte Charles sich seiner Sache weniger sicher.

»Soll ich Ihnen den Kaffee im Salon servieren?«

Wieder sagte er ja, da er gesehen hatte, daß die anderen aufgestanden waren und sich in den nebenan liegenden Salon begeben hatten, der ebenso leer und ebenso elegant war wie der Speisesaal und wo der alte Herr saß und in einer Zeitschrift mit lachsfarbenem Umschlag las.

Ein wenig später hatte Canut dann das Bedürfnis verspürt, Babette anzurufen, ohne einen bestimmten Grund dazu zu haben. Er hatte allerdings dabei den Hintergedanken gehabt, ihr zu sagen, wo er war, für den Fall, daß ihm etwas zustoßen würde.

Er hatte keine Zeit gehabt, darauf zu sprechen zu kommen. Sie verstand nichts. Die ganze Zeit über hatte sie geredet. Ratlos setzte er sich nun wieder hin. Er wußte nicht, was er tun sollte.

Dann fuhr er zusammen und spürte plötzlich wieder diese physische Angst, deren er sich so schämte. Robin stand nämlich unvermittelt auf und machte ein paar entschlossene Schritte auf ihn zu. So sehr war er erschrocken, daß er den Arm hob, um sein Gesicht zu schützen.

»Könnten Sie einen Augenblick zu uns kommen?«

Glücklicherweise war der alte Herr immer noch da! In seiner Gegenwart würde man es nicht wagen, ihm etwas anzutun. Er ging wie im Traum, wußte nicht, wohin er seine Füße setzte. Von nahem sah er jetzt den neugierigen Blick Georgettes und das kränkliche Gesicht von Ferrand, der eine Zigarre rauchte, die zu groß für ihn war.

»Sie können sich setzen. Kennen Sie meine Schwester?«

Er machte eine Kopfbewegung, die ja oder nein bedeuten mochte, er wußte es nicht genau. Er stammelte etwas, soviel wie:

»Sehr erfreut.«

»Monsieur Ferrand, ein Freund.«

Monsieur Robin trank einen Schluck Calvados und fragte:

»Was trinken Sie?«

»Nichts. Ich trinke keinen Alkohol.«

»Natürlich!«

Warum natürlich? Was sollte diese Bemerkung?

Wollte Robin vielleicht einfach Zeit gewinnen? Wer weiß, vielleicht war er ebenso verwirrt wie sein Gegenüber.

»Sie haben natürlich die Zeitung gelesen! Dann wissen Sie von diesem Testament...«

»Ja, ich habe es gelesen.«

»Vorher wußten Sie nichts davon?«

»Das kann ich beschwören.«

»Sie brauchen nicht zu schwören. Ich bin nicht der Untersuchungsrichter. Ich weiß auch nicht, welche Rolle Sie in dieser Angelegenheit spielen. Aber da Sie nun einmal hier sind, halte ich es für das einfachste, Sie von bestimmten Dingen in Kenntnis zu setzen.«

Er biß das Ende einer Zigarre ab und zündete sie langsam an.

»Sie haben es für richtig befunden, uns zu folgen. So wissen Sie, daß wir beim Anwalt meiner Schwester waren und ihm bestimmte Dokumente gebracht haben.«

Ferrand begnügte sich damit, zustimmend zu nicken, während Georgette, die Männersammlerin, Charles fasziniert betrachtete, war er doch vielleicht der Bruder eines Mörders.

Und Charles, der diesen eindringlichen Blick auf sich ruhen spürte, geriet dadurch in Verlegenheit, als ob es sich dabei um eine Ungehörigkeit oder eine unmißverständliche Einladung gehandelt hätte.

»Ihr Bruder ist verhaftet worden, und ich kann mir kein Urteil darüber erlauben, ob zu Recht oder zu Unrecht. Ich kenne ihn nicht. Und von Ihren Familiengeschichten will ich nichts wissen.«

Je länger Robin sprach, desto weniger furchteinflö-
ßend erschien er. Es war ein wenig wie bei Jules, dessen
schroffe Art er auch hatte. Unwillkürlich registrierte
Charles seine Eigenart, den Körper von rechts nach
links und von links nach rechts zu wiegen und die
Augen wegen des Zigarrenrauchs zusammenzu-
kneifen.

»Ich vermute, Sie sind nicht zufällig im Deux Couronnes abgestiegen. Sicherlich sind Sie uns auch nicht
zufällig gefolgt. Vorhin, im Café, war ich mir unschlüssig, ob ich Ihnen nicht ein paar Ohrfeigen geben sollte,
um Sie zu lehren, sich um Ihre eigenen Angelegenheiten zu kümmern.«

Der alte Herr mußte wohl etwas mitbekommen
haben, denn man hörte ihn nicht mehr die Seiten seiner
Zeitschrift umblättern.

»Was wissen Sie von dieser Geschichte?«

»Aber...«

»Ich frage Sie, was Sie wissen, sonst gar nichts!
Irgend jemand hat Ihnen von meiner Schwester erzählt,
nicht wahr? Ich wette, man hat Ihnen gesagt, daß sie in
Le Havre sei und daß sie Février aufgesucht habe.«

»Ich weiß nicht...«

»Nun, dann werden Sie es eben erfahren! Sie ist
schon vor vierzehn Tagen nach Le Havre gekommen.
Ich habe sie aus Alfortville kommen lassen, wo sie seit
Jahren wohnt. Glauben Sie ja nicht, daß ich Ihnen all
das erzähle, weil ich Angst vor Ihnen habe! Ich will nur,
daß wir beide keine Zeit verlieren.«

Charles saß unbequem auf dem Louis-Quinze-Stuhl
mit der geschnitzten Lehne. Georgette, die ihn immer

noch betrachtete, nahm eine Zigarette aus einem Etui und rauchte, wobei ihr Lippenstift das Mundstück rot färbte.

»Morgen wird es sowieso in der Zeitung stehen. Denn was ich Ihnen jetzt sagen werde, werde ich morgen dem Richter wiederholen. Meine Schwester und Février haben sich in Südamerika kennengelernt und haben in Guayaquil geheiratet. Meine Schwester hat bald einmal festgestellt, daß ihr Mann – wie soll ich sagen? – ein bißchen wie Ihre Mutter war, wenn Sie so wollen. Ich will Sie damit nicht beleidigen. Eine Zeitlang ging es gut mit ihm; und dann sprach er wieder zehn oder vierzehn Tage mit keinem Menschen. Meine Schwester wollte daraufhin nach Frankreich zurück, und sie hat Février gebeten, in die Scheidung einzuwilligen. Er hat ihr geantwortet, das sei gar nicht nötig, da eine in Ecuador geschlossene Ehe in Frankreich sowieso ungültig sei. Können Sie mir folgen?«

Ja, Charles, folgte ihm, aber langsam, weil die Worte für ihn zu Bildern wurden, wie die Worte von Jules, als dieser ihm von jener Georgette berichtet hatte, die er einst gekannt hatte und die Charles sich als eine Art Babette vorgestellt hatte.

Er begriff nicht, daß man mit einer solchen Seelenruhe von Ereignissen und Menschen sprechen konnte, von lebenden Menschen, deren Schicksal sich stückweise enthüllte.

Zum Beispiel Georgette... Das Mädchenzimmer, dann die südamerikanische Familie und diese Heirat mit Février, der wie die Mutter Krisen hatte.

Nun war sie eine beleibte, ältere Frau, behängt mit

echtem oder falschem Schmuck, die nach Frankreich zurückgekehrt war und sich mit Ferrand in einem Vorort von Paris niedergelassen hatte.

»Vor zwei Monaten«, fuhr Robin fort, den diese Lebensgeschichte nicht weiter berührte, »wollte Georgette die Beziehung zu ihrem Freund legalisieren, der ein gutes Auskommen im Versicherungsgeschäft hat.«

Viel hätte nicht gefehlt, und Ferrand hätte sich geschmeichelt verbeugt. In diesem Augenblick ähnelten die drei einem Familienbild, mit ihren starren Gesichtszügen und Haltungen, die für die Ewigkeit gedacht schienen.

»In Alfortville haben sie erfahren, daß aufgrund neuer Gesetze die Ehe mit Emile Février noch gültig ist. Georgette wußte nicht, daß ihr früherer Mann sich wieder in Fécamp niedergelassen hatte, weil er dort ein Haus und ein kleines Vermögen geerbt hatte. Sie hat mir in einem Brief von ihren Schwierigkeiten berichtet, und ich habe ihr mitgeteilt, daß ihr Mann in der Villa des Mouettes lebe. Um sich die Reise zu ersparen, hat sie mich gebeten, ihn aufzusuchen. Er hat es aber abgelehnt, mich zu empfangen. So war er eben, ein Halbverrückter. Natürlich ist es auch nicht besonders lustig, mit der Vorstellung leben zu müssen, daß man Menschenfleisch gegessen hat!«

Charles wurde übel. Der andere zuckte die Achseln.

»Entschuldigen Sie. Ich habe nicht daran gedacht... Aber das ist alles schon so lange her... Da ist noch so ein Alter, der uns zuhört und der besser daran täte, sein Buch zu lesen! Na wenn schon! Nun war es aber so, daß meiner Schwester die Hälfte an Févriers Erbschaft zustand, wenn die Ehe noch Gültigkeit hatte. Zwar ist die Villa nicht viel wert, aber sie ist schön gelegen, und außerdem waren da noch Wertpapiere im Werte von mindestens fünfzigtausend Francs. Das hatte ich Georgette geschrieben. Ich habe ihr geraten, sich zu beeilen, ihre Rechte wahrzunehmen, weil mir gewisse Gerüchte zu Ohren gekommen waren. Sie wissen, wovon ich spreche... Février wollte Ihrer Mutter wegen – was mich nichts angeht – außer Landes gehen. Ein Grundstücksmakler hatte mich aufgesucht und mir mitgeteilt, daß die Villa zu einem recht günstigen Preis zum Verkauf stand.«

Noch vor einer Stunde hatte Charles in einer Atmosphäre des Verbrechens gelebt und sich mit einer Art von Heldentum vorwärtsgekämpft. Jetzt war er auf den Boden der Tatsachen zurückgekehrt. Die Rede war von Häusern, von Erbschaftsteilung und vom großen Geld.

»Deshalb ist Georgette mit ihrem Freund nach Le Havre gekommen. Ich habe ihr das geraten. Sie mußte ja nicht unbedingt in Fécamp auftauchen, das hätte die Dinge nur kompliziert. Eines Tages habe ich sie mit dem Wagen abgeholt und zur Villa gefahren. Wir haben den Weg, der hinten am Hafen vorbeiführt, gewählt. Février hat abgelehnt, sie zu empfangen, wie er es abgelehnt hatte, mit mir zu sprechen. So blieb uns nichts anderes übrig, als einen guten Anwalt zu nehmen. Ich habe mich für Monsieur Jolinon entschieden, obwohl er teuer ist. Aber bevor der Prozeß noch begonnen hatte, hat jemand Février getötet. Sie sehen, daß ich niemanden beschuldige. Ich sage, irgend jemand hat Février getötet und alles mitgenommen, was sich im Haus befand. Man hat Ihren Bruder verhaftet. Aber das ist Sache der Justiz. Nur gibt es jetzt – so scheint es – ein Testament, demzufolge Villa und Geld an Ihre Mutter fallen. Ich will Ihnen aber gleich sagen, daß der Anwalt sich seiner Sache ganz sicher ist. Das Testament ist ungültig, da es über ein Vermögen verfügt, das teilweise der Frau von Février gehört. Diese Frau nun ist meine Schwester... Das ist alles.«

Er zündete seine Zigarre wieder an, die erloschen war, und sah sein Gegenüber an, als wollte er sagen:

»Jetzt bist du schön reingefallen!«

Charles war nicht hereingefallen, da er nie auf den Reichtum Févriers spekuliert hatte. Er war bestürzt, niedergeschmettert. Jetzt mußte er wieder von vorn anfangen. Alles, was er gedacht, sich mit der Zeit zusammengereimt hatte, hatte sich in nichts aufgelöst. Er wußte nicht mehr, wohin er blicken sollte.

Das war so offensichtlich, daß Georgette lächeln mußte und den Kopf abwandte. Robin aber ließ den Blick nicht von ihm, wie ein Bauer auf dem Markt, der einen anderen, mit dem er handelseinig zu werden sucht, belauert, um ihn in einem Augenblick der Unschlüssigkeit zu überrumpeln.

Ferrand fühlte sich bemüßigt zu erklären:

»Wenn Février in die Scheidung eingewilligt hätte, wäre natürlich überhaupt nicht die Rede von einem Prozeß. Da er uns aber in diese rechtlich unhaltbare Situation hineingezogen hat, besteht für uns kein Grund, aus ihr nicht unseren Nutzen zu ziehen.«

Natürlich. Das klang alles sehr logisch. Charles, der

schon bei der kleinsten Lüge rot wurde, lag der Gedanke fern, daß die anderen lügen könnten. Er nahm alles für bare Münze, was sie ihm eben mitgeteilt hatten.

Er hatte sich eben getäuscht, das war alles. Robin war wohl fähig, auf sein Geld und das seiner Schwester aufzupassen, aber Canut wurde klar, daß er dem Alten nicht die Kehle durchgeschnitten hatte.

Auch Georgette nicht, und nicht einmal dieser Ferrand, dem er nicht über den Weg traute.

»Es ... es tut mir leid ...« stammelte er, ohne nachzudenken.

Was? Daß er sie im Verdacht gehabt hatte? Daß er sich ihnen an die Fersen geheftet hatte? Er wußte es nicht. Aber er hatte ihnen gegenüber ein schlechtes Gewissen.

»Ich bin sicher«, beeilte er sich hinzuzufügen, »daß meine Mutter die Erbschaft nicht angenommen hätte.«

»Das hoffe ich in ihrem eigenen Interesse!« erwiderte Georgette, und dies blieb ihre einzige Bosheit.

Sie waren in eine Sackgasse geraten. Was blieb noch zu tun? Was blieb zu sagen? Robin zog aus lauter Verlegenheit an seiner Zigarre. Der alte Herr tat so, ob er lese, und wendete die Seiten absichtlich geräuschvoll.

»Kellner! Bringen Sie mir noch einen Calvados.«

»Ich reise nach Fécamp zurück«, erklärte Charles einfach.

Er erhob sich.

»Fährt denn noch ein Zug?« fragte der Bauunternehmer.

»Ich weiß nicht. Wie spät ist es?«

»Halb zwölf. Bis La Bréauté kommen Sie noch mit dem Schnellzug. Aber von dort aus?«

»Vielleicht kann ich einen Wagen auftreiben.«

Georgette sah ihren Bruder an. Dieser zuckte mit den Achseln, wie er es ständig machte.

»Ich habe meinen Wagen da«, sagte er schließlich. »Wenn Sie wollen, nehme ich Sie mit. Gehen Sie schon in die Halle und warten Sie dort auf mich. Wir haben noch etwas zu besprechen.«

»Aber ...«

»Sie hören doch, ich nehme Sie mit. Oder haben Sie Angst?«

»Nein ...«

Warum ließ er sich von Leuten wie Robin und Jules immer ins Bockshorn jagen, wo er ihnen doch eigentlich überlegen war? Warum wagte er ihnen nicht zu widersprechen? Immer sagte er ja. Immer stammelte er. Rückwärts ging er hinaus und entschuldigte sich bei der Kassiererin dafür, daß er nicht im Hotel schlief. Er bat um seine Rechnung, als erweise man ihm einen Dienst damit.

Im Augenblick konnte er keinen klaren Gedanken fassen, hatte aber das Gefühl, er sei am Boden zerstört. Nichts war so gelaufen, wie er es sich gedacht hatte. All diese Geschichten von Südamerika und Alfortville hatten die naiven Vorstellungen über den Haufen geworfen, die er sich vom Leben gemacht hatte.

Wenn man sich vorstellte, daß er nur ein einziges Mal für vierundzwanzig Stunden in Paris gewesen war! Daß ihm noch die Erinnerung an den Blick von Georgette peinlich war!

Er setzte sich in einen Korbstuhl, fragte, ob er seinen Koffer holen könne, und entschuldigte sich beim Liftboy für die Störung.

Als er wieder herunterkam, befanden sich die drei in der Empfangshalle. Robin hatte seinen dicken schwarzen Überzieher angezogen und sich die Mütze aufgesetzt.

»Sind Sie so weit?«

Georgette fragte ihn:

»Glauben Sie wirklich, daß Ihr Bruder es nicht war?«

Später konnte er sich nicht daran erinnern, was er geantwortet hatte. Jedenfalls hatte er die Hand gedrückt, die sie ihm hingehalten hatte, anschließend die von Ferrand. Dann war er mit Robin, der große Schritte machte, losgegangen. Sie waren zu einer billigen Garage in der Nähe der Börse gelangt, wo der Bauunternehmer seinen Wagen geholt hatte.

»Nehmen Sie schon Platz. Ich muß noch tanken.«

In Le Havre gab es noch Cafés, die geöffnet waren, Lokale, aus denen man Musik dringen hörte, ganze Straßen, die belebt waren wie am hellen Tag.

Sie verließen die Stadt und gerieten in den Seewind, der sie mit einem fortgesetzten Lärm umfing, während zweifarbige Wolken, teils hell, teils aschgrau, am Mond vorbeijagten.

Robin hatte eine Fahne, rauchte immer noch seine Zigarre und blickte nach vorn, als denke er an gar nichts. Dennoch knurrte er nach etlichen Kilometern:

»Wenn man uns sähe, würde man sich fragen, warum ich Sie in meinem Wagen mitnehme.«

Schweigen.

»Was zumindest beweist, daß ich ein reines Gewissen habe!«

Hartnäckig hielt Charles den Blick auf den Lichtkreis gerichtet, den die Scheinwerfer auf die Straße zeichneten. Er fuhr zusammen, als er die ersten Häuser von Fécamp erkannte.

»Soll ich Sie zu Hause absetzen?«

»Nein, ich...«

»Ich verstehe. Nun, steigen Sie aus, wo Sie wollen. Ich geh schlafen. Ich habe morgen eine Versteigerung. Außerdem muß ich zum Richter nach Rouen.«

Canut wagte nicht, ihn nach Paumelle zu fragen, der verschwunden war und der bislang in einer Baracke gewohnt hatte, die dem Unternehmer gehörte. Er murmelte:

»Hier.«

Er stieg in der Nähe der Schleuse aus, von wo es nur noch einige Meter bis zum Café de l'Amiral waren. Der andere murmelte, ohne die Hände vom Steuer zu nehmen:

»Wiedersehn!«

Damit hatte der Abstecher nach Le Havre, von dem Charles sich so viel erhofft hatte, ein Ende gefunden. Obwohl er sich lächerlich vorkam mit seinem Koffer, trat er ins Amiral ein, wo noch Licht brannte, sah sich nach Babette um, konnte sie nicht entdecken und wandte sich an Jules:

»Ist sie nicht hier?«

»Sie ist in den Keller gegangen, um Apfelwein abzuzapfen. Und was ist mit dir?«

Ein Matrose der »Centaure«, der in Benouville

wohnte und nicht genügend Zeit hatte, um nach Hause zu fahren, schlief vollständig bekleidet auf einer Bank, wie er es jedesmal tat, wenn das Schiff nur eine Nacht im Hafen blieb. Außer ihm war nur noch der Kommissar anwesend, der Jules gegenüber saß. Dieser winkte Canut heran.

»Wie bist du zurückgekommen? Ich glaube, mit dem Kommissar brauche ich dich nicht bekannt zu machen?«

Was hatte es zu bedeuten, daß er ihm zuzwinkerte? Daß er sich vor dem Kommissar nicht in acht zu nehmen brauchte? Oder umgekehrt, daß er nicht zu viel sagen dürfe?

»Wir haben gerade von dir gesprochen. Ich habe behauptet, du würdest nicht mehr heute abend zurückkommen, da es von La Bréauté keine Verbindung mehr gibt. Wer hat dich hergebracht?«

»Robin«, gestand er beschämt.

Babette kam mit einem Krug Apfelwein zurück und fuhr zusammen, als sie ihn sah.

»Was trinkst du?« fragte Jules. »Babette, bring ihm einen kleinen Genever. Aber ja doch! Als du angekommen bist, haben wir uns gerade gefragt, was Georgette wohl sagen wird, wenn sie vom Testament erfährt.«

Der Kommissar war gut gelaunt, ebenso Jules. Sie wirkten wie die besten Freunde der Welt. Warum hatte Jules alles der Polizei erzählt?

»Weißt du, daß Paumelle abgehauen ist?«

»Babette hat es mir am Telefon erzählt.«

»Wahrscheinlich wird er nicht weit kommen«, meinte der Kommissar, der bislang geschwiegen hatte.

»Seine Beschreibung ist an alle Polizeidienststellen ausgegeben worden.«

»Du hast die Zeitung natürlich gelesen?« meldete sich Jules wieder zu Wort und zwinkerte ihm erneut zu.

»Ja.«

War es richtig, ja zu sagen? Oder hätte er es verneinen sollen? Er war verwirrt und warf Babette einen fragenden Blick zu, die sich auf die Theke stützte, wie sie es immer machte, wenn sie niemanden zu bedienen hatte und auch keine Gläser zu spülen waren. Aber Babette sah ihn nur ausdruckslos an.

»Eines ist gewiß: Man hat hier unter der Bank ein Stück Zeitung gefunden, in dem die Wörter fehlten, mit der die Adresse geklebt worden ist.«

»Es war leicht, die Wörter zu finden«, fiel Monsieur Gentil ein, »in allen Zeitungen war von Monsieur Laroche die Rede, dem Untersuchungsrichter aus Rouen. Man brauchte dieses Stück nur auszuschneiden und auf einen Umschlag zu kleben.«

»Nun, Charles!«

»Was?«

»Weißt du, was der Kommissar mir gesagt hat? Er ist jetzt davon überzeugt, daß Paumelle der Täter ist.«

Warum sagte er das, als ob er einen Scherz mache? Hatte er ein Glas zuviel getrunken? Es sah fast so aus, denn es war ganz und gar unangemessen, über eine solche Sache zu scherzen.

»Ich habe ihm versichert, daß Paumelle zwar ein Taugenichts ist, aber zu einer solchen Sache nicht fähig wäre! Er will mir nicht glauben. Was sagst du dazu?«

»Ich weiß nicht.«

»Recht hast du! Laß die Katze noch nicht aus dem Sack! Auch das habe ich eben gerade gesagt. Stimmt's, Kommissar? Habe ich Ihnen nicht gesagt, daß nicht Sie den Mörder finden werden, sondern Charles Canut? Sie werden sehen, daß es so kommt... Noch eine Runde, Babette!«

Der Fußboden war mit Sägespänen bedeckt, und das Café roch nach Fisch und Salzlake, wie jedesmal, wenn Schiffe in den Hafen zurückgekehrt waren.

»Hast du Georgette gesehen? Ist sie noch immer hübsch? Ich wette, sie ist sehr umfangreich geworden.«

»Sie ist ziemlich dick.«

»Und der andere, ihr Gigolo? Ein hübscher Bursche?«

Erst jetzt hatte Canut das Gefühl, Jules' Benehmen zu verstehen. Er war immer noch eifersüchtig wegen Georgette. Er lachte auf. Er hatte drei Glas Genever getrunken, obwohl er wußte, daß er danach nicht würde schlafen können!

»Sie ist eine Frau, die noch mit siebzig Männer brauchen wird! Ich kenne sie besser als irgend jemand sonst. Und ich bin sicher, ihre Augen haben sich nicht verändert.«

Er fügte hinzu:

»Man brauchte ihr nur einen Burschen wie deinen Bruder zu zeigen, und sofort geriete sie wieder aus dem Häuschen.«

Der Kommissar klopfte mit einem Geldstück auf den Tisch. Babette kam herbeigeeilt.

»Was bin ich schuldig?«

»Nichts, das ist meine Runde«, erwiderte Jules. »Übrigens, hat sie nicht gesagt, ob sie nach Fécamp kommt?«

»Ich weiß nicht.«

»Hättest du sie das nicht fragen können?«

»Sie war einmal hier. Im Wagen von Robin. Es hat den Anschein, als habe ihr Mann sie nicht sehen wollen.«

»Und sie ist nicht einmal vorbeigekommen, um mir guten Tag zu sagen«, spottete der Kneipenwirt wieder. »Los, Kinder, gehen wir schlafen! Morgen ist auch noch ein Tag. Sie werden sehen, Kommissar, es kommt, wie ich Ihnen gesagt habe. Nicht Sie werden den Mörder fassen, sondern Canut.«

Beinahe hätte Charles seinen Koffer stehenlassen. Jules mußte ihn zurückrufen. Auch konnte er Babette nicht umarmen, da Monsieur Gentil mit ihm hinausging, wobei er eine letzte Zigarette rauchte. Der Wind ließ Funken von ihr aufsprühen.

»Haben Sie meinen Bruder gesehen?« fragte Charles, als sie draußen waren.

»Heute morgen.«

»Wie geht es ihm?«

»Er will nicht sprechen. Ich weiß noch nicht mal, ob er uns zuhört, denn er sieht uns an, als wären wir nicht da. Er weigert sich, mit seinem Anwalt zu sprechen, und hat angekündigt, er werde ihm das Gesicht zerschlagen, wenn er sich in seiner Zelle sehen lasse.«

Sie hatten ein paar Schritte gemacht und erreichten die Ecke der Rue d'Etretat, wo sie sich trennen mußten.

»Haben Sie wirklich etwas herausgefunden?« meinte der Kommissar schließlich.

Und Charles, der nicht wußte, was Jules gewollt hatte, meinte nur:

»Vielleicht. Ich weiß noch nicht genau.«

»Sie brauchen es mir nur zu sagen.«

»Ich danke Ihnen.«

»Gute Nacht.«

Sie schüttelten sich die Hände, und Charles machte sich mit dem Koffer in der Hand auf den Weg, wobei er in seiner Tasche nach dem Hausschlüssel suchte.

9

An die Tür zu seinem Schlafzimmer war ein Zettel geheftet, der die Handschrift seiner Kusine trug: »Deine Mutter ist bei uns. Im Speiseschrank ist ein Apfelkuchen.«

Er aß den Kuchen, weil es seit vielen Jahren als ausgemacht galt, daß er eine Schwäche für Apfelkuchen habe. Vielleicht hatte er sie als Kind besonders gern gemocht? Jedenfalls hieß es seither, wenn bei Lachaume ein Apfelkuchen übrigblieb:

»Der ist für Charles.«

Es machte ihm nichts aus. Er schlief ein. Als er aufwachte, war er überrascht, daß die Sonne wieder schien. Warum war alles so wie am Tag der ersten Kommunion von Berthe? Er hätte es nicht sagen können, aber es war die gleiche Sonne, und der gleiche Geruch lag in der Luft.

Er zog sich an, stieß die Tür zur Konditorei auf und ließ dabei die Glocke ertönen. Kurz darauf saß er mit den anderen um den runden Tisch im Hinterzimmer. Die Sonne drang nicht bis dorthin, man hatte aber die Tür offen gelassen, und die weiß lackierte Ladeneinrichtung war in helles Licht getaucht. Auf dem Tisch stand die riesige Kaffeekanne aus blauem Email. Solange sich Charles erinnern konnte, war ein Stück am Ansatz des Ausgusses abgesplittert. Wie gewöhnlich waren die Stühle und Sessel mit Kuchenblechen bedeckt, und der Onkel las beim Essen die Zeitung.

»Er hat mir alles ganz genau erzählt«, berichtete Charles, der von seiner Reise nach Le Havre und der Unterhaltung mit Clovis Robin sprach.

»Ach weißt du, der ... den kennen wir! Es würde mich wundern, wenn er uns nicht noch Geld schuldete.«

Madame Canut hatte einen guten Tag. Sie wirkte leidend, aber ruhig, mit ihrem resignierten Gesichtsausdruck, der sie so zerbrechlich aussehen ließ. Vielleicht lag es an der Sonne oder daran, daß sie um den Tisch saßen, als ob nichts wäre, jedenfalls war die Atmosphäre entspannt.

»Was hältst du von dem Testament?« fragte Tante Louise.

»Ich glaube«, erwiderte Charles, »daß Paumelle es abgeschickt hat.«

»Das meine ich nicht. Glaubst du, daß deine Mutter die Erbschaft antreten soll?«

»Louise!« protestierte Madame Canut.

»Ich weiß genau, was du sagen willst. Aber in solchen Angelegenheiten sollte man sich die Antwort lieber zweimal überlegen. Deine Kinder können krank oder arbeitslos werden. Es kann ihnen etwas zustoßen. Was machst du dann?«

»Ich werde in eine Anstalt gehen.«

Das Gespräch ähnelte so sehr den Gesprächen vor den Ereignissen, die sie jetzt beschäftigten, daß Charles erstaunt um sich sah, als ob er aus einem Alptraum erwache. Menschen und Dinge waren an ihrem Platz;

die Sonne auch. Warum sollte Pierre nicht jeden Augenblick die Tür aufstoßen, in Stiefeln und Ölzeug hereinkommen und eine Zahl nennen, die Anzahl der Fässer Hering nämlich, auf die sich der Fang belief.

»Du weißt genau, Laurence, daß wir dich nie in die Anstalt gehen lassen würden. Aber auch uns kann etwas zustoßen.«

Immer dachte Tante Louise daran, daß »etwas« passieren könnte, und nie war das etwas Fröhliches oder Angenehmes, sondern unvermeidlich hatte es den Charakter einer Katastrophe.

»Ich finde, daß der Mann, wenn er dieses Testament abgefaßt hat, Gewissensbisse gehabt hat. Ihm war daran gelegen, wiedergutzumachen. Er hat es ebenso für deine Söhne wie für dich getan. Wer weiß, ob er es nicht getan hat, damit Gott ihm verzeiht? In diesem Fall...«

»Louise!« bat Madame Canut.

»Auf jeden Fall«, erwiderte Charles, »stellt sich diese Frage gar nicht. Février hatte eine legitime Ehefrau, und sie erhebt Anspruch auf die Erbschaft.«

»Dann muß sich erst noch herausstellen, ob sie ein Anrecht darauf hat«, entgegnete Monsieur Lachaume.

Aber es war, als hätte er nichts gesagt. Man hörte ihm nicht zu, weil es für alle beschlossene Sache war, daß er außerhalb seiner Backstube zu nichts nütze sei. Er war ein gutmütiger Kerl, ein guter Konditor, aber er war ungebildet, und man fuhr ihm über den Mund, sobald er etwas sagte.

»Warum lassen sie Pierre nicht sofort frei?« meinte Madame Canut und sah nach draußen.

Gewiß war es die Sonne, die Sonne, auf die Pierre im Gefängnis verzichten mußte, die sie an ihn denken ließ.

»Wenn doch Paumelle geflohen ist ...«

Man sah, wie sie zusammenzuckte und aufstand. Dann sahen auch die andern, was sie gesehen hatte. Ein Mann öffnete die Ladentür und kam verlegen näher. Es war Monsieur Pissart, der sich räusperte, um auf sich aufmerksam zu machen.

Madame Lachaume eilte auf ihn zu, nachdem sie ihrer Tochter zugeflüstert hatte:

»Räum schnell die alte Kaffeekanne fort.«

Denn sie hatte sie behalten wollen. Sie weigerte sich, sie durch eine neue zu ersetzen. Sie schwor, sie sei besser als irgendeine andere. Aber sie schämte sich ihrer.

»Kommen Sie herein, Monsieur Pissart! Entschuldigen Sie, wir sind noch bei Tisch, und es ist unordentlich. Wenn man ein Geschäft hat, wissen Sie ...«

»Ist Charles hier?«

»Er ist da. Kommen Sie doch herein.«

Lachaume, der seine Arbeitskleidung trug, war verschwunden, und Berthe hatte Zeit gefunden, ihre Schürze abzulegen.

»Madame, Mademoiselle«, sagte der Reeder und verbeugte sich, »entschuldigen Sie, daß ich Sie so früh störe, aber ich wollte ein paar Worte mit Charles sprechen.«

»Sollen wir Sie allein lassen?«

»Aber nein, nein doch! Es ist überhaupt kein Geheimnis. Die ›Centaure‹ sollte heute morgen wieder auslaufen. Aber die Männer, die schon das letzte Mal

Schwierigkeiten gemacht haben, weigern sich, an Bord zu gehen.«

»Offenbar haben sie nur achthundert Fässer eingebracht«, wagte Charles einzuwerfen.

»Ich sage nicht, daß es ein guter Fang war, aber das ist kein Grund, das Schiff stillzulegen. Sie wissen ja, wie sie sind. Bei Ihrem Bruder war von so etwas nie die Rede. Deshalb bin ich gekommen. Ich möchte Sie fragen, ob Sie sie nicht umstimmen könnten?«

»Aber ja doch, sicher!« meinte Tante Louise. »Möchten Sie eine Tasse Kaffee, Monsieur Pissart?«

»Danke, ich habe gerade gegessen.«

»Ich begleite Sie«, beschloß Charles, der trotz allem einen Anflug von Stolz verspürte.

Obwohl ihm klar war, daß nicht von ihm, Charles Canut, Hilfe erwartet wurde, sondern vom Bruder von Pierre! Als der Reeder und er durch die Straßen gingen, drehten sich die Leute nach ihnen um.

»Manche wollen vor dem Rathaus demonstrieren und die Freilassung Ihres Bruders verlangen. Ich habe ihnen schon gesagt, der Bürgermeister kann da gar nichts machen. Man muß das Ergebnis der Untersuchung abwarten. Wenn man nur diesen Paumelle erwischen würde!«

»Sie glauben, er sei der Mörder?« fragte Charles.

»Sie nicht? Jedenfalls behaupten es alle.«

Noch ein paar Schritte, und plötzlich sahen sie den Hafen mit seinen grünen, blauen und roten Farbflecken, die in der Sonne leuchteten. Prächtig darin das Blau der Fischerkleidung! Männer in Holzschuhen waren zu sehen. Sie hatten die Hände in den Taschen und bildeten kleine Gruppen bei den Pollern am Kai. Nicht weit vom Schleusentor hatte sich eine größere Menge vor dem Café de l'Amiral versammelt.

»Sprechen Sie zu ihnen. Erklären Sie ihnen, daß Ihr Bruder frei sein wird, wenn sie zurückkehren, daß Sie Neuigkeiten haben, daß ... daß es sich nur noch um Formalitäten handelt. Das stimmt doch eigentlich auch, oder?«

Charles warf ihm einen schiefen Blick zu, wagte aber nicht zu widersprechen. Monsieur Pissart war schließlich nicht ein Mann wie jeder andere, er war der Reeder.

Die beiden Männer gingen am Schleusentor vorüber und näherten sich der größten Gruppe, in der Charles die meisten Matrosen seines Bruders erblickte.

»Fragt doch ihn«, sagte Monsieur Pissart. »Was haben wir eben gesagt, Charles?«

Charles war verlegen. Diese Herzlichkeit, diese Vertraulichkeit des Reeders ließ ihn Gewissensbisse empfinden. Er suchte Babette mit seinem Blick, aber sie erschien nicht auf der Schwelle. Doch Jules stand dort und beobachtete ihn von weitem, während seine Hose ihm über den Bauch hinunterrutschte.

»Mein Bruder wird nicht mehr lange im Gefängnis bleiben«, sagte er seinen Text her.

»Weißt du was Neues?« fragte ihn ein Alter, der ihn von klein auf kannte.

Charles zögerte. Er wagte nicht, ja zu sagen. Aber er wollte vor Monsieur Pissart auch nicht nein sagen.

»Sobald man festgestellt hat, daß er nicht der Mörder ist ... «

»Wann wird er freigelassen?«

Auf dem Deck der »Centaure«, deren Rumpf stellenweise mit Mennige ausgebessert worden war, sah man den Kapitän, den man aus Boulogne geholt hatte. Er wirkte geknickt und wartete ergeben auf das Resultat des Palavers.

»Ich bin sicher, Pierre wäre böse, wenn er wüßte, daß das Schiff bestreikt wird. Er wird noch weit wütender sein, wenn er nach seiner Freilassung feststellen muß, daß das Schiff stillgelegt worden ist.«

Monsieur Pissart nickte natürlich. Aber zuckte nicht ein merkwürdiges Lächeln über Jules' Gesicht, oder war es nur ein Sonnenstrahl?

Auch Babette kam heraus, um ihn von fern zu sehen.

»Warum hat man Paumelle nicht sofort verhaftet? Als hätte man ihm absichtlich Zeit gelassen, sich aus dem Staub zu machen!«

»Darauf kann ich nicht antworten. Ich bin nicht der Untersuchungsrichter.«

Sie begegneten ihm mit einem gewissen Mißtrauen, obwohl er wie sie als Seemann angefangen hatte.

»Wenn sie Canut nun bald freilassen, und wir sind gerade ausgelaufen...?«

»Selbst wenn er frei ist, braucht er noch ein paar Tage, bevor er wieder an Bord gehen kann.«

Monsieur Pissart bedeutete ihm fortzufahren, aber er wußte nicht, was er hätte hinzufügen können. So trat er zurück und ließ den Männern Zeit, sich zu beraten. Sie boten den gewohnten Anblick. Einige hatten Verpflegung unter dem Arm, andere, die in Fécamp wohnten, waren in Begleitung ihrer Frauen, die ihre Säuglinge auf dem Arm trugen.

Charles nützte den Umstand, daß eine Gruppe ihn vom Reeder trennte, um sich abzusetzen und zum Amiral hinüberzugehen.

»Hat er dich geholt?« fragte Jules und musterte ihn amüsiert.

»Ja. Er ist gekommen, als ich eben gefrühstückt habe.«

»Und du hast natürlich nicht gewagt, es ihm abzuschlagen!«

»Was hätte ich tun sollen?«

»Sag ich ja.«

Charles hatte nichts für Ironie übrig, weil er sie nicht verstand. Schon eben aus der Ferne hatte ihn das Lächeln Jules' betroffen gemacht. Jetzt war ihm die Haltung des Wirtes noch unangenehmer.

»Willst du Babette nicht guten Tag sagen?«

Was amüsierte den Kneipenwirt nur an dieser Sache? Natürlich ging Canut Babette guten Tag sagen! Und auch sie fragte ihn:

»Laufen sie aus?«

»Ich weiß nicht.«

»Er hat dich geholt?«

Übel nahm man es ihm wohl nicht. Aber beglückwünscht wurde er auch nicht. Eine Art von Feigheit wurde ihm wohl zum Vorwurf gemacht. Und da man damit nicht so ganz unrecht hatte, wurde Charles noch unmutiger.

»Hat der Kommissar dir gestern abend nichts gesagt?«

»Nein.«

»Er war gestern fast den ganzen Tag hier. Hin und

wieder habe ich mich gefragt, ob er nicht Jules im Verdacht hat.«

Sie hatte das gesagt, ohne sich viel dabei zu denken. Aber Charles fuhr auf, elektrisiert von diesem Gedanken. Er wäre nie darauf gekommen, gewiß. Aber jetzt, wo davon die Rede war, fragte er sich, warum ihm in Gegenwart des Bistrowirtes immer so unbehaglich zumute war.

Warum hatte Jules ihn nach Le Havre geschickt? Warum war er noch gestern nacht so sicher gewesen, daß Charles den Mörder entdecken würde? Warum behauptete er mit so viel Nachdruck, daß Paumelle Février nicht getötet habe?

Canut befand sich mit Babette im Café. Jules stand auf der Schwelle. Er wandte ihnen den Rücken zu, eine schwarze Silhouette vor der Sonne.

»Ich glaube, sie laufen aus!« verkündete er und drehte sich um. »Monsieur Pissart wird dich suchen.«

»Er kann ja hierherkommen!«

Demonstrativ setzte Charles sich, um zu zeigen, daß der Reeder nicht beliebig über ihn verfügen konnte.

»Bring mir einen Kaffee, Babette.«

Jules stand vor ihm und fragte:

»Nun?«

»Was, nun?«

»Hast du etwas herausgefunden?«

»Nicht seit gestern nacht«, erwiderte er verdrießlich.

»Hat der Kommissar dir nichts gesagt?«

»Was hätte er mir sagen sollen?«

»Wie soll ich das wissen?«

Und Charles war sicher, daß Jules in diesem Moment seine Mißstimmung, seinen Argwohn ahnte, daß er aber mit ihm Katz und Maus spielte.

»Siehst du, da kommt er dich holen.«

Tatsächlich winkte Monsieur Pissart Charles von der Schwelle aus herbei. Er setzte nämlich nie einen Fuß ins Café. Ohne es zu wollen, stand Charles übertrieben eifrig auf. Draußen machten sie ein paar Schritte in Richtung des Kais.

»Ich danke Ihnen. Sie sind bereit auszulaufen, unter der Bedingung, daß ich die Prämie verdopple, wenn das Fangergebnis unter tausend Fässern bleibt.«

Doch hatte er ihn nicht gerufen, nur um ihm dies mitzuteilen oder um ihm zu danken. Da war noch etwas anderes. Charles wartete.

»Soweit ich gehört habe, stellen Sie eine Art privater Untersuchung an.«

»Ich versuche, etwas herauszufinden«, murmelte Charles.

»Natürlich. Nur fehlt es Ihnen vielleicht an den erforderlichen Mitteln und an der Erfahrung mit solchen Untersuchungen.«

Beim Sprechen beobachtete er von fern die Bewegungen der Männer an Deck der »Centaure«.

»Ich wollte Ihnen folgendes sagen: Sie wissen, welches Interesse ich Ihrem Bruder entgegenbringe. Er hat immer in meinen Diensten gestanden. Bei mir ist er Kapitän geworden. Wenn Sie es für richtig halten würden, jemanden, einen guten Detektiv, aus Paris oder anderswoher kommen zu lassen, würde ich die Kosten übernehmen. Nichts würde Sie daran hindern, ihm zu helfen.«

Warum machte dieser Vorschlag einen so unange-
nehmen Eindruck auf Canut? Er schwieg und sah zu
Boden.

»Denken Sie in Ruhe darüber nach. Wenn Sie zu
einem Entschluß gekommen sind, kommen Sie zu mir
ins Büro.«

Er reichte Charles die Hand und drückte sie mit
einigem Nachdruck, als wolle er ein Abkommen besie-
geln.

»Sie müssen sich immer vor Augen halten, daß ich
für Ihren Bruder alles tun werde, was in meiner Macht
steht.«

Es war einer jener Vormittage, die alle Leute aus dem
Haus locken. Der Wind kam von Osten, und die
kleinen Fischerboote, die den Hafen schon seit Wochen nicht verlassen hatten, strebten der Fahrrinne zu.

An Bord der Kabeljauschiffe im Hafenbecken waren
die Mannschaften eifrig beschäftigt; Zimmerleute, Se-
gelmacher, Kalfaterer setzten die Boote für den nächsten Fang instand. Andere strichen mit viel Liebe kleine
Boote an, die kieloben auf dem Kai lagen. Unbeweglich
saßen die Angler auf dem Molenkopf und ließen ihre
Beine über dem Wasser baumeln.

Drüben, auf der anderen Seite des Beckens, konnte
Charles die paar Häuser sehen, die dort standen. Das
zweite gehörte der alten Tatine und ihrer Schwester.
Ein anderes, das ein Stück weiter entfernt lag, war die
Schenke von Emma.

Links schließlich, von einem Hügel verdeckt, befand
sich die Villa des Mouettes, von der man nur das Dach
sah, das ein wenig röter als die anderen war.

Charles hätte nicht sagen können, was in ihm und um ihn her vorging. In den ersten Tagen hatte es den Anschein gehabt, als sei durch die Verhaftung Pierres alles in Aufruhr geraten. Doch nun war es, wie wenn die Oberfläche eines Teichs, in den man Steine hineingeworfen hat, sich nach einigen Wellenbewegungen wieder schließt und seine Reglosigkeit zurückgewinnt.

Die Atmosphäre von Tragödie und Angst hatte sich verloren. Er fühlte sich wie in einem Vakuum. Er sah, wie die »Centaure« sich zum Auslaufen fertig machte, und er empfand nicht den leisesten Stich bei dem Gedanken, daß nicht sein Bruder das Kommando führte.

War die Müdigkeit daran schuld? Er erinnerte sich, daß es ihn bei Beerdigungen schockiert hatte, wenn er sah, daß die Menschen, die sich eben noch die Augen ausgeweint hatten, nach der Rückkehr vom Friedhof wie gewöhnlich aßen, ja sogar mehr als sonst, unter dem Vorwand, sie müßten wieder zu Kräften kommen.

Aber auch er hatte am Vorabend den ganzen Kuchen mechanisch aufgegessen. Und auch heute morgen hatte er zu reichlich gefrühstückt, wobei er von dem Drama gesprochen hatte, als sei es bereits zu den gewöhnlichen und vertrauten Dingen zu zählen.

Und trotzdem konnte niemand Pierre so lieben wie er. Es war unmöglich! Sie waren zusammen vom gleichen Schoß geboren worden, und seither hatte Charles nur für Pierre gelebt, so sehr, daß er sich anfangs geschämt hatte, eine Freundin zu haben!

Hatte Monsieur Pissart nicht recht? Man sollte

jemanden auf seine Kosten aus Paris kommen lassen, jemanden, der den Umgang mit Verbrechern gewohnt war. Er würde sich nicht so ungeschickt und naiv wie Charles aufführen, würde beispielsweise die alte Tatine zum Sprechen bringen.

Denn während er den Kai entlangging, betrachtete er von weitem das Haus der beiden alten Jungfern mit einer Art von Begierde. Tatine mußte einiges wissen. Vielleicht wußte sie alles? Charles hatte diesen Eindruck.

Er seufzte, ratloser denn je. Er versuchte die Begeisterung, die Entschlossenheit wiederzufinden, die sich in der Sonne aufgelöst zu haben schienen.

»Schnappen Sie frische Luft?« fragte ihn eine Stimme, und er zuckte zusammen.

Es war der Kommissar, der schlecht geschlafen hatte und nicht gerade einen strahlenden Eindruck machte.

»Ja, ich gehe spazieren.«

»Ich frage mich, wohin sich dieser Paumelle verkrümelt haben könnte. Ich habe heute morgen schon mit der Sûreté in Paris telefoniert. Aber man weiß dort noch nichts Neues. Dabei sind alle Bahnhöfe von Anfang an überwacht worden, genauso wie die Häfen.«

Täuschte Canut sich? Ihm schien, als mache sich bei seinem Gesprächspartner eine ähnliche Lustlosigkeit bemerkbar wie bei ihm selbst.

»Jedenfalls«, seufzte der Kommissar, »darf man sich nicht entmutigen lassen. Der Untersuchungsrichter wird die Haushälterin des Opfers gleich noch einmal verhören.«

»Er kommt hierher?«

»Nein, er hat sie nach Rouen vorgeladen.«

War es nicht merkwürdig, daß der Richter und er fast gleichzeitig auf denselben Gedanken verfallen waren?

»Ich muß weiter. Vergessen Sie nicht, daß ich Ihnen zur Verfügung stehe, sollten Sie...«

Wieder steuerte er auf das Café de l'Amiral zu. Charles fragte sich, ob er wirklich Jules im Verdacht habe.

Er ging weiter. Als er am Ende des Hafenbeckens anlangte, sah er Tatine, die in ihrem besten Kleid zum Bahnhof eilte, als ginge es zu einer Hochzeit oder zu einer Kommunion.

Dann gingen ihm lauter verrückte Gedanken durch den Kopf, die er einen um den anderen verwarf.

Beispielsweise bestand die Möglichkeit, daß Tatines Schwester gerade bei Kunden nähte, wie sie es an drei oder vier Tagen in der Woche tat. In diesem Falle war das Haus leer. Wenn er eindrang... Wer weiß, vielleicht gab es dort etwas zu entdecken?

Fünf Minuten überlegte er sich die Sache. Er dachte daran, von hinten einzusteigen, indem er eine Scheibe zerschlug. Dann mußte er sich eingestehen, daß er dazu nicht fähig war.

Und wenn er in die Villa des Mouettes statt in das Haus der beiden Alten einbrechen würde? Würde er nicht vielleicht ein Indiz finden, das den anderen entgangen war?

Oder wenn er Robin besuchen würde? Ja! Von Mann zu Mann! Er würde ihm sagen...

Währenddessen hatte ihn der Lärm des Hafens umfangen, und er kam dicht an den Gebäuden der

Güterabfertigung vorbei, wo er Jahre zugebracht hatte und wo er gewiß auch die Jahre zubringen würde, die er noch vor sich hatte.

Warum gelang es ihm nicht, etwas herauszufinden? Warum hatte Jules dem Kommissar erklärt, er, ausgerechnet er, Charles, würde den Mörder Févriers entdecken?

Er ging immer noch. Er hatte nun einmal nicht das Format, aus dem Alltagstrott auszubrechen! Aber er spürte jetzt, daß er dieses Leben nie wieder so selbstverständlich wie vorher würde leben können, daß er die Dinge nie wieder in ihrer früheren Einfachheit würde sehen können.

Kaum dreimal hatte er in achtundvierzig Stunden an Babette gedacht, er, der früher drei bis vier Stunden pro Tag in einer Ecke des Amiral verbracht hatte. War das nicht ein Beweis dafür?

Der Unterschied lag darin, daß er vorher nicht versucht hatte, die Dinge zu verstehen. Wenn er Jules gesehen hatte, war das eben Jules gewesen, so wie er war, ein Jules, der nie anders gewesen war und der bis zu seinem Tode so bleiben würde.

Jetzt aber wußte er, daß er Kellner gewesen war und Georgette geliebt hatte. Dann war Georgette nach Südamerika gegangen und Février begegnet. Dann...

Sobald man versuchte, der Verkettung der Ereignisse zu folgen... Paumelle zum Beispiel, der bei Robin schlief...

Warum zum Teufel hatte er das Testament zurückgeschickt? War das normal für einen Mörder? Wollte er den Verdacht noch verstärken, der auf den Canuts lastete, indem er bewies, daß diese am Tod von Février interessiert gewesen sein mußten?

Ohne stehenzubleiben, war er an dem Haus der beiden Alten vorbeigegangen. In einiger Entfernung stand eine Frau auf einer Leiter und putzte die Fenster. Er errötete, weil er einen Blick zu ihrem Rock hinaufgeworfen hatte. Durfte man an sowas denken, wenn der Bruder im Gefängnis saß?

Er kam zu der Kneipe, deren Vorhänge zugezogen waren. Plötzlich und ohne Grund trat er in den leeren Raum, wo ein kanariengelber Wollknäuel auf einem Tisch lag.

Irgend etwas verwirrte ihn, irgend etwas war außergewöhnlich. Aber er kam nicht sofort darauf. Er begriff erst, als er sich automatisch dem Ofen näherte und feststellte, daß er aus war. Das war es! Es war kalt! Die Kälte ließ das Zimmer noch leerer erscheinen.

»Wer ist da?« ertönte die Stimme der Flämin von oben.

»Ein Gast.«

»Ich komme hinunter!«

Aber sie kam nicht. Sie ging über der Gaststube hin und her. Vielleicht machte sie ihr Bett?

Als sie schließlich herunterkam und sich erstaunt Canut gegenüber sah, war sie zum Ausgehen gekleidet. Sie trug ein schwarzes Seidenkleid und große Ohrringe.

»Was ist?«

»Ich möchte etwas trinken«, sagte er und setzte sich.

»Wollen Sie wieder zwei Stunden bleiben wie das letzte Mal?«

»Ich weiß nicht.«

Es herrschte ein merkwürdiges Licht. Das lag an den gehäkelten Vorhängen, die das Sonnenlicht in kleinere und größere Rechtecke aufteilten, wodurch ein symmetrisches Muster entstand, das die Tische, den Fußboden, das Kleid und das Gesicht Emmas überzog.

»Was trinken Sie?«

»Apfelwein.«

»Sie wissen genau, daß ich keinen habe!«

»Dann Bier.«

Sie war wütend und verbarg es nicht. Sie setzte das Glas so heftig vor ihm auf den Tisch, daß es beinahe zerbrochen wäre. Dann blieb sie dicht vor ihm stehen und sah ihm ins Gesicht.

»Was treiben Sie sich hier herum?«

Aus der Fassung gebracht, suchte er nach einer Antwort, hob das Glas an die Lippen und stammelte:

»Ich hatte Durst!«

»Vor allem, wo Sie sich sonst in *andere* Cafés setzen, nicht wahr? Als ob ich nicht wüßte, wo man Sie jeden Abend, den Gott werden läßt, finden kann... Das macht einen Franc!«

Sie streckte die Hand aus, womit sie ihm bedeutete, daß er zahlen, sein Glas leeren und verschwinden solle.

»Sie wollen mich doch nicht etwa fragen, wo Paumelle ist? Denn wenn es das sein sollte, kann ich Ihnen gleich sagen, daß er sich nicht hier versteckt. Ich weiß schon, worauf Sie hinauswollen...«

Er konnte nichts anderes tun als schweigen. Er spürte, daß sie in einer ungewöhnlichen Verfassung war, und wartete ab, obwohl er sich unbehaglich fühlte.

»Sie wollen unbedingt dableiben?«

»Aber...«

»Dann geh eben ich. Ich habe anderes zu tun, als mit Ihnen zu quasseln, nur weil Sie Bier für einen Franc bestellt haben!«

Als er ihre Augen betrachtete, hätte er schwören können, daß sie geweint hatte. Das war verständlich, wenn Paumelle wirklich ihr Liebster war.

Plötzlich kam ihm ein Gedanke. Hatte sie sich vielleicht deshalb zum Ausgehen angekleidet, ihn deshalb so unwirsch empfangen, zeigte sie vielleicht deshalb so viel Ungeduld, weil sie sich mit Paumelle treffen wollte?

Wahrscheinlich war sie die einzige, die wußte, wo er sich befand.

Rasch erhob er sich und murmelte:

»Ich gehe.«

Statt eines Abschiedsgrußes sagte sie:

»Es wird auch Zeit!«

Er war sicher, daß sie auch fortgehen würde. Dann würde er ihr folgen. Er würde Paumelle entdecken. Er würde die Polizei informieren, und dann würde man Pierre...

Er ging nur zwanzig Meter weiter. Dann bog er in eine kleine Gasse ein, von wo aus er den Kai beobachten konnte. Er stand im Schatten. Zwei Hunde spielten, schnappten nacheinander und wälzten sich auf dem Boden.

»Wenn sie mit dem Zug fährt, steig ich auch ein.«

Das genügte, um die fiebrige Erregung in ihm zurückzurufen. Doch hatte sie sich fast wieder gelegt, als er den Blick zu einem Fenster hob und hinter der

Gardine ein Vollmondgesicht sah, das ihn beobachtete. Es war die Schwester Tatines, die da wie eine große Spinne stand, oder vielmehr wie eine große Qualle, unbeweglich, die Hand an der Gardine.

Beinahe wäre er fortgegangen. Doch dann beschloß er, trotz der Alten zu bleiben. Die Geräusche des Viertels drangen deutlich an sein Ohr. In einem Fenster im ersten Stock wurden Teppiche geklopft, und in einem Hof wurde Holz gehackt. Irgendwo in der Nähe schmorte ein Zwiebelragout, und manchmal drang leise, aber deutlich die Klage eines Babys an sein Ohr.

Wurden nicht zum ersten Mal seit langem wieder die Fenster geöffnet?

Er wartete auf ein anderes Geräusch, auf das einer Tür, die sich schloß, auf die Schritte Emmas, die er in ein paar Metern Abstand vorbeikommen sehen würde. Dann brauchte er ihr nur noch in einiger Entfernung zu folgen . . .

Eine halbe Stunde verging, eine Stunde, und die Alte rührte sich nicht vom Fleck. Manchmal drückte sie ihre Nase an der Fensterscheibe platt, was ihr Gesicht noch unmenschlicher erscheinen ließ.

Warum hatte Emma sich schön angezogen, wenn sie nicht ausgehen wollte? In der anderen Richtung konnte sie nicht fort, denn der Weg führte nur zu den Villen am Fuße der Steilküste und endete dann an der See. Nur bei Ebbe konnte man auf dem Geröll weiter.

Die beiden Hunde hatten genug gespielt und langweilten sich. Einer von ihnen schaute Canut an, als hoffte er, dieser würde sich an ihren Späßen beteiligen.

Es war ein kleiner rothaariger Hund, der einladend mit seinem erhobenen Schwanz wedelte.

Die Glocken schlugen elf. Eine Tür öffnete und schloß sich. Aber es war nur eine Hausfrau, die in der Sonne vorüberging, ein Einkaufsnetz in der Hand. Sie drehte sich einen Augenblick zu ihm um, als hätte sie gespürt, daß dort jemand im Schatten stand.

Wieder belebte sich das Bild. Kinder kamen aus der Schule und spielten unterwegs. Vier waren es, zwei von ihnen waren Bruder und Schwester. Jäh blieben sie stehen, als sie Canut in seinem Winkel erblickten, verschwanden, kamen wieder zurück und äugten um die Ecke.

Offensichtlich waren sie nach Hause gelaufen und hatten ihrer Mutter erzählt, daß sich dort jemand verstecke. Denn jetzt kam eine Frau mit Schürze und beobachtete ihn eine Zeitlang mißtrauisch. Einen Augenblick später unterhielt sie sich mit einer Nachbarin.

Charles wurde rot. Er hatte das Gefühl, etwas Schändliches zu tun. Er hatte Angst, man würde Erklärungen von ihm verlangen. So zog er es vor, sich offen zu zeigen. Möglichst unbefangen schlenderte er zu Emmas Schenke.

Die beiden Frauen standen auf der Schwelle und ließen ihn nicht aus den Augen. Gott weiß, was sie von ihm dachten.

Er bewegte die Klinke. Die Tür war abgeschlossen. Er sah hinein und erblickte nur das Bierglas, das immer noch dort stand, wo er es abgestellt hatte.

Er rüttelte an der Tür, klopfte gegen die Scheibe, trat

einen Schritt zurück, um zu den Fenstern im ersten Stock hochzusehen. Sie waren geschlossen.

Noch immer standen die beiden Frauen dort, kaum zwanzig Meter entfernt.

»Da ist niemand!« rief ihm schließlich eine von ihnen zu.

»Sind Sie sicher?«

»Aber ja doch! Sie ist vor zwanzig Minuten fortgegangen.«

»Was sagen Sie?«

»Sie hat sich vom Ende des Kais mit der Fähre übersetzen lassen.«

Daran hatte er nicht gedacht! Es gab tatsächlich eine kleine Fähre, die die Leute ans andere Hafenende übersetzte und ihnen so den Weg um das Becken herum ersparte, wenn sie in die Stadt wollten.

Die beiden Frauen wunderten sich über seine Aufregung.

»Nachmittags ist sie bestimmt wieder da.«

Er wußte nicht, was er sagen sollte, dankte ihnen mit einem verlegenen Lächeln und machte sich in der Sonne auf den Weg. Er war aufgewühlt und fragte sich, ob er nicht soeben, fast ohne es zu wollen, die Wahrheit entdeckt hatte.

Als er im Amiral eintraf, sah er sich nach dem Kommissar um, konnte ihn aber nicht an seinem Stammplatz entdecken.

»Was hast du?« fragte ihn Jules.

»Ich? Nichts.«

»Möchtest du mit dem Kommissar sprechen?«

»Ja, das heißt...«

»Er ist in aller Eile fort. Man hat Paumelle gefunden.«

Jules schien sich weidlich über ihn lustig zu machen,
während Babette vier Gäste bediente, die Karten
spielten.

10

Du wirst wieder eine Dummheit machen... Aber was soll's!«

Das hatte Babette zuletzt gesagt, ihm aber trotzdem das Geld gegeben, um das er sie gebeten hatte. Er hatte keine Zeit verlieren wollen, indem er es von zu Hause holte. Sie hatte ihn bis zur Tür begleitet, und Jules hatte gesagt:

»Wohin gehst du, Canut?«

»Kann ich einen Augenblick Ihr Fahrrad haben, Monsieur Martin?«

Er hatte es genommen, fast so als hätte er ein Recht darauf. Weit schneller als gewöhnlich hatte er sich zwischen den Lastwagen und Autos hindurchgeschlängelt und war beim Bahnhof angelangt.

»Ist der Zug nach Dieppe schon fort?« fragte er keuchend.

Man zeigte ihm den wartenden Zug. Er ließ das Fahrrad stehen, ohne sich weiter darum zu kümmern, löste eine Fahrkarte und ging den Zug entlang, wobei er in jedes Abteil blickte. Die Waggons waren alt und klein und hatten keinen Gang.

Da sah er, was er suchte, öffnete die Tür und stieg ein, ohne sich um die Proteste dreier Gemüsefrauen zu kümmern, die ihre Körbe auf die Bänke gestellt hatten.

Sein Herz schlug nicht nur, weil er sich beeilt hatte,

sondern auch, weil er aufgeregt war. Einen Augenblick schloß er die Augen, wobei er aber weiterhin die dicke Emma vor sich auf der Bank sitzen sah.

Das war um halb eins gewesen. Charles hatte sich rechtzeitig daran erinnert, daß zu dieser Tageszeit nur ein Zug fuhr, der Bummelzug nach Dieppe. Jetzt hatte er Babette und der ironischen Miene Jules' gegenüber recht behalten: Emma war da!

»Du wirst wieder eine Dummheit machen ...«

Das hätte Babette nicht sagen sollen. In ihrem eigenen Interesse! Es gibt Situationen, in denen Worte mehr verletzen oder heftiger wehtun können als sonst. Und derzeit war Charles überempfindlich. Warum »wieder«? Hatte er denn so viele Dummheiten begangen?

War es Jules, der ihr das einredete?

Und warum vertraute sie ihm nicht einfach ohne viel Worte, da sie doch nichts wußte, noch weniger als er?

Er war nicht traurig, nein! Aber ihm schien ... Wie sollte er es ausdrücken? Ihm schien es, als verblasse Babette ein wenig, als sei sie weit weniger bedeutend, als er gemeint hatte. War sie nicht eigentlich ein kleines, unbedeutendes Dienstmädchen, das glaubte, es könne ihn kritisieren, weil er davon gesprochen hatte, es zu heiraten?

Er dachte lieber an etwas anderes. Im übrigen erlaubte ihm dieser Zug nicht, seine Gedanken länger auf eine bestimmte Sache zu richten. Schon hielt er in Fécamp-Saint-Quen, dann in Colleville, in Valmon, in Ourville ...

Er wagte nicht recht, Emma offen anzublicken, aber er warf ihr verstohlene Blicke zu und hatte den Eindruck, als sei sie seit dem Morgen gealtert.

Eine komische dicke Frau! Die Marktfrauen warfen sich unverhohlen amüsierte Blicke zu. Sie hatten sofort die Ohrringe entdeckt, die groß wie Nüsse waren, die drei Armringe und das riesige Medaillon, das die Flämin auf einem Kleid von zu glatter, zu glänzender Seide trug.

Vielleicht hatten sie auch bemerkt, daß die Haare an den Wurzeln eine andere Farbe aufwiesen, woraus zu entnehmen war, daß Emma sie färbte?

Charles hatte die Augen gesenkt und sah die neuen Lackschuhe mit den überdimensionalen Absätzen, aus denen Fettwülste hervorquollen.

»Gibt es keine Abteile erster Klasse in diesem Zug?« fragte eine der drei Frauen, womit sie auf die falsche Pracht der Flämin anspielen wollte.

Die Situation wurde noch peinlicher, als die Gemüsehändlerinnen in Herbeville ausstiegen. Charles hoffte, es würde wieder jemand einsteigen. Beinahe hätte er einem Reisenden zugewinkt, der ein Abteil suchte. Doch dieser stieg dann woanders ein.

Sobald sich der Zug in Bewegung gesetzt hatte, saßen Emma und er sich allein in einem geschlossenen Abteil gegenüber. Canut dachte:

»Vielleicht hat sie einen Revolver in ihrer Handtasche. Sie könnte mich töten . . .«

Er hatte keine Angst. Zwar spürte er keinerlei Verlangen zu sterben, aber in diesem Augenblick hatte er keine Angst. Er hob die Augen und erblickte im

Gepäcknetz einen ziemlich großen Koffer aus Kunstfaser. Dann betrachtete er Emma, und es schien ihm, als werde sie zusehends häßlicher.

Dieser Eindruck entstand, weil Puder und Schminke auf ihrem Gesicht nicht mehr zu haften schienen. Das Rouge war schlecht und fleckig aufgetragen. Die Wimperntusche körnig und verwischt.

Charles hatte zwar noch keine Ahnung, wie sich alles zugetragen hatte, aber er war jetzt davon überzeugt, daß diese Frau Février getötet hatte.

Warum? Zum einen, weil Paumelle nach seiner Auffassung nicht fähig gewesen wäre, dem Alten die Kehle durchzuschneiden. Er hätte ihn vielleicht niedergeschlagen, oder er hätte ihm einen Messerstich ins Herz versetzt...

Zum anderen, wenn Paumelle der Mörder gewesen wäre, hätte er das Testament nicht zurückgeschickt und sich nicht ausgerechnet in diesem Augenblick aus dem Staube gemacht.

Es war keine sehr zwingende Schlußfolgerung. Eigentlich überhaupt keine. Trotzdem mußte Emma Angst haben, denn sie floh. Und sie hatte noch mehr Angst, seit er ihr gegenüber saß, denn obwohl es nicht heiß war, glänzte Schweiß auf ihrer Stirn.

Er wußte nicht, was er tun sollte. Das würde davon abhängen, was sie tat. Hatte sie etwa die Absicht, mit dem Schiff nach England zu fliehen? Oder mit dem Zug nach Belgien?

Vielleicht wußte sie auch genauso wenig wie er, wohin sie fahren sollte. Er hätte es fast schwören können. Bei jedem heftigeren Stoß des Zuges hörte er sie mühsam atmen. Er hatte den Eindruck, daß sie fast erstickte, daß sie das Bedürfnis hatte, irgend etwas zu tun, ohne zu wissen was. Eine neue Befürchtung stieg in Charles auf. Wer konnte wissen, ob sie nicht die Tür öffnen und sich hinausstürzen würde?

In Offranville befand sich nur ein Priester auf dem Bahnsteig. Emma sah ihn und berührte Holz. Viele Abteile waren leer, trotzdem bewegte sich der Riegel, und der Mann in der Soutane ließ sich in der Ecke gegenüber Emma nieder.

Wieder ein kleiner Bahnhof. In Dieppe stellte die Flämin sich auf die Zehenspitzen, um ihren Koffer herunterzunehmen. Charles wagte nicht, ihr zu helfen. Der Priester stand auf: »Erlauben Sie?«

Der Koffer war ziemlich schwer. Trotzdem nahm Emma vor dem Bahnhof kein Taxi. Sie ging die abschüssige Straße hinab. Sie kam nur mühsam vorwärts und knickte immer wieder mit ihren hohen Absätzen um. Ihre Knöchel mußten ihr wehtun.

Sie drehte sich nicht um. Sie wußte, daß Charles ihr folgte. Beide hörten sie drei Sirenentöne. Die Frau versuchte schneller zu gehen, erreichte damit aber nur, daß sie ins Stolpern geriet. Als sie auf dem Kai anlangte, schwamm das Schiff nach Newhaven schon in der Mitte des Hafenbeckens und schlug den Weg zwischen den Molen hindurch ein.

Sie blieb stehen, wo sie war, wie jemand, der nicht weiß, wohin er sich wenden soll. Es war halb drei. Im Hafen ging es lebhafter zu als in Fécamp. Der Lautsprecher eines Cafés war zu hören, der die Straße mit Musik überschwemmte.

Einen Augenblick später saß Emma in einer Ecke dieses Cafés. Sie wirkte so abgespannt, daß Charles sich seines Verhaltens ein wenig schämte. Trotzdem hatte er sich in ihre Nähe gesetzt und beobachtete sie, wie sie gierig ihren Schnaps trank.

Um halb vier bestellte sie ein Sandwich, das sie aber nur anbiß.

»Du wirst wieder eine Dummheit machen...«

Er nahm es Babette wirklich übel. Zum ersten Mal unterzog er sie einer kühlen Beurteilung, auch was ihren Körper anbelangte. Sie hatte weder Hüften noch Busen. Im Bett ging ein fader Geruch von ihr aus... Aber warum genügte dann schon der bloße Gedanke an diesen Geruch, um...?

Die Situation wurde lächerlich. Die dicke Frau stand auf, ging zu den Toiletten, und Charles folgte ihr. So groß war seine Angst, sie könnte ihm entwischen! Er blieb bei der Tür stehen, und als sie herauskam, tat er so, als wasche er sich die Hände.

Das Café war nicht wie die in Fécamp. Es war eine richtige moderne Brasserie, wie es sie in Paris gab. Die Kassiererin wechselte von ihrem Platz aus die Platten auf dem Plattenspieler, dessen einer Lautsprecher sich im Lokal befand, der andere auf der Straße.

Emma verlangte das Kursbuch, studierte es lange und legte es schließlich entmutigt beiseite. Dann rief sie den Geschäftsführer herbei und redete leise auf ihn ein. Charles hatte keine Ahnung, worum es ging.

Jedenfalls ging das nächste Schiff nach England – falls es das war, was sie wissen wollte – erst um neun

Uhr fünfzehn abends. Und bis dahin dauerte es noch ein paar Stunden!

Die Lampen brannten schon lange. Charles war dösig von der Hitze, betäubt von der Musik und der Untätigkeit. Der Saal hatte sich nach und nach mit Leuten gefüllt, die kamen, um ihren Aperitif zu trinken. Zerstreut und gedankenlos verfolgte er eine Partie Karten, die am Nachbartisch zwischen einem komischen kleinen Alten mit einer riesigen Warze auf der Nase und einem Mann stattfand, von dem Canut nur den Rücken sah.

Hätte man ihn unverblümt gefragt, was er da mache, hätte er kaum gewußt, was antworten. Er wartete! Er wartete schon seit Stunden! Und Emma dort in der anderen Ecke wartete auch, nachdem sie einen Groschenroman fertiggelesen hatte, den sie ihrer Handtasche entnommen hatte.

Die Tür öffnete sich, wie das alle paar Minuten geschah, wobei Canut, der einen schlechten Platz erwischt hatte, jedesmal einen kalten Luftzug an seinen Beinen spürte. Diesmal brachte ein junger Bursche die Abendblätter. Er nahm eins, Emma auch. Man konnte sagen, daß sie es gleichzeitig entfalteten und zur gleichen Zeit die Schlagzeile lasen:

Gaston Paumelle beschuldigt in Poitiers
seine Geliebte des Verbrechens von Fécamp

Hatten sich nicht alle in ihm getäuscht? Man hatte ihn für hartgesotten gehalten, geglaubt, er werde sich bis zum letzten verteidigen. Doch nun hatte ihn die Polizei in Poitiers gefaßt, als er aus einem Güterzug geklettert war. Er wußte nicht, wo er war. Er war auf gut Glück gefahren. Von einem Güterzug in den anderen war er gestiegen und durch reinen Zufall im Zentrum Frankreichs gelandet.

»Jetzt hat's mich erwischt!« hatte er lediglich geseufzt.

Als man ihm Handschellen angelegt hatte, hatte er gesagt:

»Machen Sie, was Sie wollen, aber ich schwöre Ihnen, daß ich nicht die geringste Lust hab abzuhauen! Pech für die Alte! Aber ich habe sie ja gewarnt.«

Diese und noch weitere Einzelheiten standen in der Zeitung. Ein Sonderkorrespondent hatte sie telefonisch übermittelt. Paumelle war einem Kommissar der mobilen Brigade vorgeführt worden, der mit dem üblichen Verhör begonnen hatte.

»Warum haben Sie Emile Février umgebracht?«

»Das haut nicht hin. Ich habe den Alten nicht umgebracht.«

»Wie sind Sie dann in den Besitz seines Testaments gelangt?«

»Ich?«

»Wir können beweisen, daß Sie es zur Post gebracht haben, nachdem Sie die Adresse aus einer Zeitung ausgeschnitten hatten.«

»Na und?«

»Was haben Sie mit den Banknoten und Wertpapieren gemacht?«

Eine Viertelstunde lang hatte er dichtgehalten, kaum länger. Dann hatte er zynisch erklärt:

»Bringen Sie mir was zu futtern und vor allen Dingen zu trinken, dann werde ich Ihnen alles auftischen.«

Er hatte über sein Wortspiel gelacht, mit gutem Appetit gegessen, eine zweite Flasche Wein und Zigaretten verlangt.

»Jetzt fühle ich mich besser... Ich glaube, ich sollte mit dem Anfang beginnen.«

Das Blut war ihm zu Kopf gestiegen, weil er zuviel gegessen hatte und weil ihm zu heiß war, nachdem er lange Zeit im Freien verbracht hatte.

»Ich brauche Ihnen wohl nichts von der ›Télémaque‹ und all dem Zeug zu erzählen, davon hat ja genug in der Zeitung gestanden. Ich glaube, wenn Sie gezwungen gewesen wären, einen Engländer und vielleicht auch noch einen Kameraden zu futtern, hätte Ihnen das wahrscheinlich auch ganz schön zu schaffen gemacht.«

Und mit einer Stimme, die zwar zynisch klang, aber in der auch noch etwas anderes mitschwang, fügte er rasch hinzu:

»Ich habe englisches Blut in den Adern.«

Dann blickte er umher und nahm einen Schluck.

»Mein Vater hat das nie ganz verwinden können. Schließlich hat er seine Knochen zwischen seinem Schiff und der Kaimauer zerquetschen lassen... Aus mir hätte vielleicht was werden können. Manchmal habe ich daran gedacht, mich zur Armee zu melden, aber die Disziplin liegt mir nicht. Ich hab dies und das gemacht. Ich brauche darauf wohl nicht näher einzugehen... Jedenfalls bin ich nicht vorbestraft, was beweist, daß das alles nicht so schlimm war. Vor zwei

Jahren hat sich dann Février in Fécamp niedergelassen. Vielleicht hätte ich ihn trotz der ›Télémaque‹ und dem, was er zusammen mit meinem Vater durchgemacht hat, nicht kennengelernt, wenn er nicht bei Emma verkehrt hätte.«

Unter dem Einfluß des Weins wurde seine Zunge schwer. Er sprach nur widerwillig, als könne er die Notwendigkeit nicht recht einsehen, all diese Dinge zu erzählen.

»Sie werden Emma ja kennenlernen. Sie ist nicht mehr ganz jung, hat aber noch Charme und ist vor allem ein liebes Mädchen. Ich könnte Ihnen ein halbes Dutzend Männer aus Fécamp aufzählen, Männer in guten Verhältnissen und mit Familie, die es nicht verschmäht haben, zwei oder drei Nachmittage in der Woche zu ihr zu gehen. Bei mir war das etwas anderes.«

»Ich vermute, daß Sie ihr Liebster waren.«

Er lachte das Lachen eines Betrunkenen. Dann erklärte er:

»Entschuldigen Sie. Das klingt so possierlich. Na ja, ich war's. Sie mochte mich gern. Sie hat mir was zu essen gekocht. Vielleicht auch, daß sie mir manchmal, wenn ich knapp bei Kasse war, ein bißchen Geld zugesteckt hat. Nicht jeder kann Kapitän oder Bahnbeamter sein...«

»Was wollen Sie damit sagen?«

»Nichts. Vergessen Sie's. Das ist eine lange Geschichte.«

Einen Augenblick lang zeigte sich Härte in seinem Gesicht.

»Sie hat mir von Février erzählt, der ganz allein lebte

und sich langweilte, vor allem in den Zeiten, da er von dunklen Gedanken heimgesucht wurde. Dann wollte er niemanden sehen. Er fand Gefallen an Emma, trotz seines Alters. Es gibt solche alten Knaben, die noch keine Ruhe geben wollen.«

Man versuchte, ihn am Trinken zu hindern, aber er sah den Kommissar herausfordernd an, die Rotweinflasche in der Hand.

»Was stört es Sie, wenn ich mir einen hinter die Binde gieße, solange ich spure? Wollen Sie, daß ich Ihnen alles erzähle, ja oder nein? Es wird eine Weile dauern, bis ich wieder so viel Wein bekomme, wie ich will... Wo war ich stehengeblieben? Ach ja. Eines Tages, als der Katzenjammer wieder über ihn gekommen ist, hat der Alte die Geschichte der ›Télémaque‹ erzählt. Das habe ihn krank gemacht, und seither habe er sich nie mehr wie ein normaler Mensch gefühlt und so weiter.

Das hat mich auf den Gedanken gebracht, ihn aufzusuchen und wie er daherzureden. Ich habe ihm erzählt, daß mein Vater aus Verzweiflung gestorben sei, daß die ganze Stadt mit dem Finger auf mich zeige und daß ich keine ehrliche Arbeit finden könne.

Er ist darauf hereingefallen. Fünfhundert Francs beim ersten Versuch. Später waren es bescheidenere Summen, hier hundert Francs, da fünfzig. Er war ein komischer Bursche, immer ganz bleich, ganz weiß im Gesicht, als hätte er Fischblut in den Adern. Zudem hatte er eine schreckliche Angst zu sterben und hat nur medizinische Bücher gelesen.

Warten Sie, wie war's genau?... Man wird sagen,

daß ich Emma belaste, aber das ist nicht wahr. Sie ist gut zu mir gewesen. Deshalb mach ich ihr aber noch lange nicht meinen Kopf zum Geschenk.

Sie werden lachen, aber sie hatte sich in den Kopf gesetzt, Février zu heiraten, wegen des Hauses und des Geldes, vor allem wegen des Hauses. Stets hat sie davon geträumt, ein eigenes Haus zu haben, und das von Février gefiel ihr.

Doch er ließ sich nicht einfangen. Das andere ja. Heiraten, nein. Er blieb hart und sprach von anderen Dingen.

Emma war wirklich wütend. Sie wollte ihre Stammkunden nicht mehr empfangen. Vielleicht spürte sie, daß sie alt wurde, und wollte ein anderes Leben anfangen.

›Wenn er mich nur in seinem Testament bedenken würde‹, sagte sie oft.

Ständig lag sie mir in den Ohren, ich solle herausfinden, was der Alte im Schilde führe.

Aber ich hab nicht gespurt. Eines Tages habe ich Emma dann verkündet, daß der Alte bald abhauen würde, wegen der Auftritte, die es immer mit der verrückten Canut gab.

Er wollte sein Haus verkaufen und anderswo leben, nur hat er nie gesagt wo, vielleicht in Südamerika.

Als er dann wie gewöhnlich zu Emma kam, hat sie ihm deswegen eine Szene gemacht. Sie hat nämlich noch einen Vogel: Ständig droht sie den Leuten, ihnen den Prozeß zu machen. Gegen eine Nachbarin hat sie prozessiert, weil deren Hund ihr auf die Schwelle gepinkelt hatte.

So ist sie nun mal. Sie hat Février gesagt, daß er nicht das Recht habe, sie sitzenzulassen, nachdem er sie ausgenutzt und ihren Ruf untergraben habe. Verstehen Sie? Ich glaube, sie wußte gar nicht, was sie da sagte. In vollem Ernst sprach sie von ›ihrem Ruf‹.

Und dann kam der ganze Schlamassel. Ich meine, dann hat man den Alten gefunden, blutig wie ein Schwein, und Canut verhaftet.

Ich schwöre Ihnen bei allem, was mir heilig ist, daß ich in jenem Augenblick von nichts gewußt habe. Vielleicht bin ich an dem Abend im Amiral gewesen, wo ich hin und wieder den *anderen* Canut, den Bahnbeamten, wegen Babette auf die Palme bringe.

Ich will nicht behaupten, daß ich die Geschichte am nächsten Tag nicht merkwürdig gefunden habe. Aber als die Polizei dann jemand anders verhaftet hat…

Außerdem hatte Emma sich nicht verändert. Wie gewöhnlich saß sie stundenlang am Fenster und häkelte. Nur hat sie mich zwei Tage später, als wir uns unterhielten, beiläufig gefragt:

›Glaubst du, man kann wirklich falsche Pässe herstellen?‹

›Warum fragst du?‹ hab ich gesagt.

›Nur so. Ich hab das in einem Buch gelesen.‹

Denn während sie häkelte, las sie Groschenromane.

›Es soll Leute geben‹, murmelte sie, ›die jede Handschrift nachmachen können. So einen würde ich gerne kennenlernen.‹

›Warum?‹

Wissen Sie, sie brauchte mich, aber sie war zu gerissen, um sofort mit der Sprache herauszurücken.

Sie hatte was in petto, redete aber noch um den Brei herum.

Zwei Tage passierte nichts, dann führte sie mich eines Nachmittags in ihr Schlafzimmer hinauf, und ich dachte, sie wolle das übliche, denn sie hatte den Riegel bei der Tür zur Kneipe vorgelegt.

Aber ganz und gar nicht! Sie zog die Vorhänge zu, machte Licht und zog ein Blatt Papier unter einem Stapel Decken in ihrem Kleiderschrank hervor. Solche Decken hat sie wohl zwölf Dutzend, alle gehäkelt.

›Stell dir mal vor, man würde ein paar Worte abändern‹, sagte sie und reichte mir das Blatt Papier.

Es war das Testament des Alten. Ich sah sie an. Sie sagte:

›Er hatte selber Schuld. Er wollte fort und mich ohne einen Sou zurücklassen.‹

Ich gebe zu, daß ich sie bewundernd angesehen habe. Daß sie es vier Tage ausgehalten hatte, ohne mir irgend etwas zu sagen, ohne daß ich was vermutete!

›Es soll Säuren geben, mit denen sich Tinte löschen läßt... Du könntest nach Paris fahren und vielleicht irgendeinen Spezialisten auftreiben. Ich muß hierbleiben, damit niemand Verdacht schöpft. Solange Canut im Gefängnis sitzt, läßt man uns in Ruhe.‹

Sie hatte *uns* gesagt, und das schmeckte mir nicht.

›Was hast du mit den Wertpapieren und dem Geld gemacht?‹

›Keine Angst, die sind an einem sicheren Ort.‹

Verstehen Sie, sie mißtraute sogar mir. Aber nach Paris sollte ich für sie!

Am ersten Tag habe ich abgelehnt. Dann habe ich

gemerkt, daß mir der Bruder von Canut nachstrich, und wurde sauer.

›Für solche Arbeit‹, hab ich Emma gesagt, ›kann man einiges verlangen.‹

›Ich zahle einen angemessenen Preis.‹

›Wieviel?‹

›Fünftausend gleich und fünftausend hinterher.‹

›Her damit!‹

So war ich aus der Sache raus. Ich hab die fünf Riesen eingesteckt und mich aus dem Staub gemacht. Ich hoffte, nach Marseille zu kommen, um dort irgendwo an Bord zu gehen. Ich hab auch mit dem Gedanken gespielt, zur Fremdenlegion zu gehen, wo ich mir mit dem Zaster irgendeinen hübschen Druckposten hätte verschaffen können.

Emma hatte mir das Testament gegeben, und ich wußte nicht, was ich damit machen sollte. Ich hätte es verbrennen können. Wenn die Canut nicht verrückt wäre, hätte ich's auch getan. Sie sehen, ich versuche nicht, mich besser zu machen, als ich bin. Aber man sagt, es bringt Unglück, wenn man Verrückten Schaden zufügt.

Ich habe das Schriftstück nach Rouen geschickt. In der Nacht habe ich mich im Zug geirrt und mich irgendwo, ich glaube in Laroche, auf einem Abstellgleis wiedergefunden. Ich bin in einen anderen Waggon geklettert. Dann haben Sie mich gefaßt. Das ist alles.«

Und er lächelte unbestimmt, als wolle er sagen:

»Sehen Sie, so ist das. Ich habe nie was Gutes getan, aber auch nichts besonders Schlimmes.«

Charles fuhr zusammen. Er wußte nicht mehr, wo er war. Einen Augenblick sah er sich verwirrt um, dann folgte sein Blick Emma, die aufgestanden war und, die Handtasche in der Hand, zwischen den Tischen hindurchging.

Wie schon einmal, ging sie zu den Toiletten. Zuerst hörte er die Schwingtür, dann die andere Tür gehen. Eine Weile blieb er einfach sitzen. Dann stand er plötzlich mit verstörtem Gesicht auf, lief der Flämin nach, fand eine geschlossene Tür vor, deren Emailleschild das Wort »Besetzt« zeigte.

»Sind Sie da drin?« fragte er, ohne zu wissen, was er sagte.

Schweigen. Er lauschte und glaubte, ein schwaches Stöhnen zu vernehmen.

Daraufhin versuchte er die Tür aufzubrechen, hatte keinen Erfolg, lief ins Café zurück und eilte zum Geschäftsführer, auf den er leise einredete. Die Leute wurden auf ihn aufmerksam, weil er sehr erregt wirkte. Nun geriet auch der Geschäftsführer in Aufregung, begab sich zu den Toiletten, kam ins Lokal zurück und blickte sich suchend um.

»Robert!«

Einer der Kartenspieler stand auf, seine Karten in der Hand.

Wieder Getuschel. Zu dritt standen sie jetzt in dem schmalen Gang, wo deutlich ein Stöhnen zu hören war, das um so grauenerregender war, da es nur schwach, aber unablässig an ihr Ohr drang.

Robert warf sich einmal, zweimal gegen die Tür. Beim dritten Mal endlich gab sie nach. Auf dem Boden sahen sie eine in sich zusammengesunkene Frau. Sie hatte Glassplitter auf dem Kleid und Blut an den Händen.

Emma war nicht ohnmächtig. Sie stöhnte, ohne das Gesicht zu verziehen – mechanisch, hätte man sagen können – und blickte die Männer verständnislos an.

»Einen Arzt! Schnell!«

Charles störte sie, weil er ihnen im Weg stand, düster, ungeschickt, und dumme Fragen stellte.

»Was hat sie? Glauben Sie, daß sie stirbt?«

Andere liefen herbei. Der Plattenspieler wurde erst viel später abgestellt. Im Café waren alle aufgestanden. Schließlich kam der Arzt. In einer regelrechten Prozession wurde die Flämin auf ein Zimmer im ersten Stock gebracht.

Charles wurde nicht hinaufgelassen. Schließlich war er ein Gast wie jeder andere. Er hatte das Gefühl, sich übergeben zu müssen. Er versuchte, woanders hinzublicken, aber immer wieder kehrte sein Blick zu den Blutspuren auf dem Fußboden zurück. Dann öffnete er den Mund, als er einen Mann sah, der einen schwarzen Lackschuh aufhob.

»Ich muß mit jemandem sprechen!« rief er plötzlich. »Rufen Sie die Polizei. Ich muß mit der Polizei reden.«

Einige meinten, er habe die Frau in der Toilette angegriffen. Ein mißtrauischer, feindseliger Kreis bildete sich um ihn, weil niemand wußte, was sich zugetragen hatte.

Endlich tauchte die Uniformmütze eines Polizeibeamten auf. Der Mann hatte schon sein Notizbuch in der Hand. Und außer Atem erklärte Charles:

»Das ist Emma... Die aus der Zeitung... Die, die Février in Fécamp getötet hat.«

Er fügte hinzu – und merkte selbst nicht, was er sagte:

»Man darf sie nicht sterben lassen!«

Es fehlte nicht viel, und er hätte sich selbst für einen Mörder gehalten. Verstört blickte er um sich, und seine Knie zitterten so, daß er sich setzen mußte.

»Trinken Sie das! Doch! Gießen Sie es in einem Zug hinunter!«

Es war stark. Der Mann, den man Robert genannt hatte, kam herunter. Charles versuchte zu verstehen, was er sagte, erhaschte aber nur Bruchstücke:

»... hat ihr Glas in der Handtasche mitgenommen... versucht, sich die Pulsschlagader aufzuschneiden...«

»Wird sie sterben?«

Der Polizeibeamte hatte etwelche Mühe, ihn ohne Mißtrauen anzusehen.

»Wieso haben Sie davon gewußt?«

Und er meinte, alles zu erklären, wenn er sagte:

»Ich bin Canut, der Bruder... Verstehen Sie?«

Aber nein! Niemand verstand ihn, niemand konnte ihn verstehen.

»Sie müssen irgend etwas tun, telefonieren Sie mit... ich weiß nicht mit wem...«

Er sah die Flämin wieder vor sich, wie sie mit ihrem zu schweren Koffer den Bahnhof verließ, rasch vorwärts ging, wie ihre Absätze umknickten und wie sie auf dem Pflaster stolperte.

»Mir ist übel...« stöhnte er plötzlich.

Und sie mußten zurückweichen, weil er sich mitten im Café auf die mit Sägespänen bedeckten Fliesen übergab.

11

Am dümmsten war, daß kein Zug mehr ging. Man brauchte ihn hier nicht mehr, aber es fuhr kein Zug mehr nach Fécamp.

Auf dem Polizeikommissariat hatte er berichtet, was er wußte. Man hatte ihm schwarzen Kaffee zu trinken gegeben, so verstört hatte er gewirkt.

Emma war ins Krankenhaus gebracht worden. Ihr Zustand war nicht besorgniserregend.

»Wir wollen Sie nicht länger aufhalten«, hatte man Charles gesagt. »Der mit dem Fall beauftragte Untersuchungsrichter wird Sie gewiß noch verhören. Wir haben damit nichts mehr zu tun.«

Er kam auf dem Kai an, als das Schiff nach Newhaven gerade hell erleuchtet den Hafen verließ. Er dachte, daß er in Fécamp anrufen müsse. Aber er konnte nur das Amiral anrufen, weil die Lachaumes kein Telefon hatten.

In die Brasserie an der Ecke, wo der Zwischenfall sich ereignet hatte, mochte er nicht zurückgehen. Der Plattenspieler lief dort wieder wie gewöhnlich. Er entschied sich für ein anderes Café. Als er die Tür der Telefonzelle hinter sich schloß, überlief ihn ein Schauer, denn er wurde dadurch an eine andere Tür erinnert, die hatte aufgebrochen werden müssen.

»Hallo! Hallo! Fécamp...«

Zuerst hieß es, daß niemand sich melde. Er wurde böse.

»Das ist nicht möglich, Mademoiselle. Das ist ein Café, das um diese Zeit nicht geschlossen haben kann.«

»Gut! Ich versuch's noch mal.«

Sie versuchte es noch einmal, und eine Stimme, die er nicht kannte, knurrte:

»Was ist?«

»Ist dort das Café de l'Amiral? Rufen Sie bitte Babette an den Apparat.«

»Was?«

Er wurde ungeduldig.

»Bin ich mit dem Café de l'Amiral verbunden?«

»Niemand da.«

Er merkte, daß am anderen Ende der Leitung jemand war, der es nicht gewohnt war zu telefonieren.

»Hören Sie, ich möchte mit der Serviererin des Café de l'Amiral sprechen.«

»Hier ist das Amiral.«

»Mit wem spreche ich?«

»Was?«

»Ich frage, mit wem ich spreche.«

»Oscar.«

»Was für ein Oscar? Ist Jules nicht da?«

»Er ist nicht da.«

»Und Babette?«

»Fort.«

»Was?«

»Was wollen Sie denn eigentlich?«

Was er wollte? Mit jemandem sprechen, Herr des

Himmels! Er verstand nicht, wieso das Café de l'Amiral um Viertel nach neun abends leer war.

»Wo sind sie?«

»Wer?«

»Jules, Babette...«

»Sie sind auf dem Kai.«

»Können Sie sie nicht rufen?«

»Nein. Sie sind zu weit weg, vor dem Haus von Monsieur Pissart. Wegen Canut, der eben zurückgekommen ist.«

Fast hätte Charles losgeschluchzt. Er stand da, den Hörer in der Hand, ohne daran zu denken, weiterzusprechen. Jetzt hatte er verstanden. Pierre war freigelassen worden! Pierre war in Fécamp, und die ganze Stadt...

Er wußte noch nicht, daß Monsieur Pissart nach Rouen gefahren war, um Pierre in seinem Auto abzuholen, er wußte auch nicht, daß dreihundert Menschen sich um das Haus des Reeders versammelt hatten, und nicht, daß man die Mutter geholt hatte, die mit Tante Louise und Berthe gekommen war.

Beinahe wäre er aus dem Café gegangen, ohne zu zahlen. Dann hatte er plötzlich – wie es einem in solchen Augenblicken ergeht – eine verrückte Idee: Er dachte an das Fahrrad, das er am Bahnhof in Fécamp abgestellt hatte, und meinte, es hätte ihm jetzt gute Dienste leisten können.

Eine verrückte Idee, weil er die ganze Nacht gebraucht hätte, um den Weg mit dem Fahrrad zurückzulegen.

Auf den Gedanken, ein Taxi zu nehmen, kam er

nicht. Noch nie in seinem Leben hatte er eines genommen. Erst als er zu den Markthallen auf dem Kai gelangte und in der Nähe eines Tanzlokals mit roter Fassade drei Autos mit einem kleinen weißen Schild erblickte, dachte er daran. Die Fahrer standen plaudernd neben ihren Wagen und kamen nicht darauf, daß er womöglich ein Fahrgast sein könnte.

»Wieviel verlangen Sie für die Fahrt nach Fécamp?«

Sie sahen sich an und rechneten.

»Vierhundert.«

So fand er sich im Sitz einer alten Limousine wieder, in der es noch Kristallvasen mit künstlichen Nelken gab.

Bei Pissart war der ganze erste Stock, der als Wohnung diente, erleuchtet. Die Leute, die irgendein Recht dazu hatten, waren hineingegangen, andere waren draußen geblieben, sogar Babette, die sich ganz nahe bei Jules hielt, als hätte sie Angst, verlorenzugehen.

Oben wurde Champagner getrunken. Der Bürgermeister war gekommen. Sein Wagen stand vor der Tür, der Chauffeur saß am Steuer.

Man rief:

»Canut soll leben!«

Und Monsieur Pissart, der nicht von Pierres Seite wich, sagte zu ihm:

»Sie müssen sich auf dem Balkon zeigen, ihnen irgend etwas sagen.«

Pierre wußte nicht was, wußte gar nichts mehr, drehte sich linkisch um und ging zum offenen Fenster, wie man es von ihm verlangt hatte. Laute Rufe ertönten aus der Menge.

Es waren unwirkliche Stunden. Die Menschen taten sinnlose Dinge. Bei Monsieur Pissart waren Leute, die er normalerweise nie hereingelassen hätte. Und heute abend gab er ihnen Champagner zu trinken!

Madame Canut saß auf einem Kanapee und weinte leise und grundlos vor sich hin. Madame Pissart redete tröstend auf sie ein, während der Bürgermeister sich mit Berthe Lachaume unterhielt, die ihm gewöhnlich nur seinen Kuchen einpackte.

»Wo ist Charles?« hatte Pierre besorgt gefragt.

Niemand hatte ihm antworten können.

»Seit acht Tagen sieht man ihn kaum noch. Er treibt sich überall herum. Er sucht. Wahrscheinlich verfolgt er wieder irgendeine Spur.«

Niemand sprach vom Schlafengehen. Alles ging drunter und drüber, und Pierre schien nicht zu verstehen, was mit ihm geschah.

»Ihr Bruder war großartig«, erklärte ihm Monsieur Pissart, der an diesem Abend die Angewohnheit hatte, ihn wie eine Frau am Arm zu nehmen; ausgerechnet Monsieur Pissart, der gewöhnlich nicht einmal jemandem die Hand reichte.

»Was hat er getan?«

»Er hat mir geholfen, die Mannschaft umzustimmen, als sie nicht auslaufen wollte.«

Am außergewöhnlichsten war der Umstand, daß Monsieur Pissarts Augen glänzten und sich ein schwaches Rot auf seinen Wangen zeigte. Monsieur Laroche hatte ihm nämlich, als er nach Rouen gekommen war, um Pierre abzuholen, ein oder zwei Gläser Marc de Bourgogne angeboten.

Beide hatten sie sich etwas gezwungen über die vergangenen Ereignisse unterhalten:

»Ich hoffe, Sie nehmen es mir nicht allzu übel, daß ich Sie eine Zeitlang Ihres Kapitäns beraubt habe. Pierre Canut hat sich sehr anständig verhalten. Vielleicht ist er Monsieur Abeille gegenüber ungerecht gewesen, der alles getan hat, was in seiner Macht stand.«

Alle wollten sie mit Pierre anstoßen, der nicht abzulehnen wagte und die Gläser, die man ihm reichte, mit einem kleinen verlegenen Lächeln entgegennahm.

»Hör mal, du hast im Gefängnis aber nicht abgenommen.«

Nein! Er war derselbe, immer noch derselbe. Zufällig hatte er sich morgens rasiert, und er war ebenso frisch wie an den Tagen, da er vom Fang zurückkam und seine Sonntagskleidung anzog.

»Ich glaube, Ihre Freunde erwarten Sie unten«, murmelte Monsieur Pissart endlich, als es schon nach elf war.

Pierre wußte nicht, was er tun sollte. Sollte er mit seiner Mutter nach Hause gehen oder sich den anderen anschließen, der Bande aus dem Amiral, die ebenfalls mit ihm trinken wollte?

Ihm fehlte etwas, und zwar Charles, aber er hatte schon zuviel Champagner getrunken, um sich das klarzumachen.

Dann war er wieder auf dem Kai, sah das betrübte Gesicht Babettes und küßte sie mit einer etwas theatralischen Geste, was auch auf den Champagner zurückzuführen war.

»Du kommst doch ein Glas mit uns trinken...«

Aber klar! Er folgte ihnen. Währenddessen hielt Charles von seinem Autositz aus den Blick auf das Lichtbündel der Scheinwerfer gerichtet und meinte immer noch auf dem Fußboden jenes denkbar unpoetischen Ortes den massigen, von schwarzer Seide bedeckten Körper der Flämin zu sehen.

Und dann dieser Schuh...

Er hatte nicht bemerkt, daß sie schon auf den Kais angekommen waren und daß kein Licht mehr in den Fenstern von Monsieur Pissart zu sehen war. Der Fahrer hatte den Wagen angehalten.

»Soll ich weiterfahren?«

Nur noch das Auto des Bürgermeisters stand da. Die beiden Männer beendeten den Abend dort oben wohl im kleinen Kreis.

»Nein... Danke.«

Er zahlte. Es schmerzte ihn, vierhundert Francs für eine Fahrt zu bezahlen, die ihn im Zug nur achtunddreißig Francs fünfundzwanzig gekostet hätte.

Alles nahm er sich übel, sogar, daß er nicht fröhlicher Stimmung war. Schon von weitem war zu erkennen, daß es im Amiral außergewöhnlich hoch her ging.

Dann ging ihm ein zweiter unpassender Gedanke durch den Kopf: Fast wäre er nach Hause gegangen und hätte sich schlafen gelegt. Pierre hätte ihn dort gefunden, wenn er nach Hause gekommen wäre, oder am nächsten Morgen.

Aber dazu war er nicht fähig. Es war stärker als er. Er wußte es.

Er ging an der Schleuse vorbei, stieß die Tür auf und

sah die Menge in einer stickigen Atmosphäre von Alkohol und Zigarrenrauch. Jemand rief:

»Da ist Charles!«

Und Charles drängte sich durch die Menge, um zu seinem Bruder zu gelangen, der sich auf die Theke stützte. Sein Blick war ein bißchen verschwommen, die Stimme dröhnend:

»Komm her, damit ich dich umarmen kann!«

Er war betrunken. Es konnte gar nicht anders sein. Übertrieben, wie ein Minister, gab er Charles den Bruderkuß.

»Und nun sag uns, wo du gewesen bist, du Strolch!«

Charles verzog das Gesicht. Das verstanden die anderen nicht. Er verzog das Gesicht, weil er den Tränen nahe war und weil er nicht weinen wollte. Er versuchte, sein Schluchzen hinunterzuschlucken. Er sah Babette, die auch getrunken hatte und die sich inmitten all der aufgekratzten Männer wohlzufühlen schien.

»Ich komme aus Dieppe.«

»Bring ihm etwas zu trinken, Babette!«

Er nahm das Glas und glaubte zu hören:

»Du wirst wieder eine Dummheit machen...«

Und er lächelte, ein Lächeln, das nur er allein verstand. Und dann sah man ihn trinken, wie er noch nie getrunken hatte. Auch er nahm alle Gläser an, die ihm angeboten wurden, wobei er die Hände seiner Nachbarn ergriff.

Es war nun einmal so und nicht anders! Daran war nichts zu ändern, es lag in der Natur der Dinge.

Was hieß das? Er hätte es nicht erklären können. Er

fühlte es, das war alles! Pierre mußte einfach Pierre bleiben. Und deshalb mußte Charles...

Schon morgen würde er in die Güterabfertigung zurückkehren. Abends würde er sich in seine Ecke setzen, Babette zuschauen und warten, bis sie die Zeit fände, sich zwischen zwei Bestellungen eine Weile zu ihm zu setzen.

Jules würde ihm wahrscheinlich wieder ironische Blicke zuwerfen. Hatte Jules etwa auch verstanden?

Nein! Aber er war fast am Ende seines Lebens angelangt. So sah er die Dinge mit mehr Distanz.

Auch als er betrunken war, blieb Pierre noch ansehnlich. Er übergab sich nicht, er redete kein dummes Zeug. Nur schien sein Blick von fern her zu kommen, und er entwickelte noch mehr Beredsamkeit, wenn er sprach.

Als Charles am andern Morgen aufwachte, hatte er heftige Kopfschmerzen. Er ging in die Küche und fand dort seine Mutter, die versuchte, den Kaffee möglichst leise zu mahlen.

Mit schwärmerischem Blick flüsterte sie ihm zu:
»Pscht! Er schläft!«

Und Charles legte die gleiche Rücksichtnahme an den Tag, als er seine Eisenbahneruniform anzog und die Haustür schloß.

Es war noch früh. Die Sonne schien nicht, aber es regnete auch nicht. Ein Tag wie jeder andere, ein ganz gewöhnlicher Tag begann.

1938

Stanley G. Eskin
Simenon
Eine Biographie

Aus dem Amerikanischen
von Michael Mosblech

Stanley G. Eskins Biographie stützt sich auf Gespräche mit Simenon, mit Verwandten, Freunden, Verlegern des Autors sowie auf das riesige, erst bruchstückhaft erschlossene Material des Simenon-Archivs in Lüttich.

»Eskin erzählt so anschaulich, als habe er von dem Gegenstand seiner Studien die einfache, farbige, spannende Erzählweise gelernt.«
Frankfurter Allgemeine Zeitung

»Mit dem Index, den zahlreichen Anmerkungen, der vollständigen Bibliographie der Werke und der Verfilmungen wird dieser Band sicher die große umfassende Biographie des Schriftstellers werden. Eskin hält auch mit persönlichen Urteilen nicht zurück; sein Buch verdient daher Aufmerksamkeit und Hochachtung.«
Die Welt, Bonn

»Ich konnte nie glauben, daß Simenon wirklich existiert. Seine ungeheure Produktion, mein immer neues Staunen über die Vollkommenheit seiner Erzählungen, die psychologische Genauigkeit seiner unendlich vielen Figuren, die Eindrücklichkeit der Landschaftsbeschreibungen vermittelten mir stets das Bild eines hinreißenden Schriftstellers, das aber so ungreifbar und unbestimmt blieb wie etwa das Bild des Frühlings, des Meeres, das Bild von Weihnachten – Bilder, die man mit Vergnügen und unbewußtem Wohlbehagen in sich aufnimmt und erlebt, ohne daß sie imstande wären, die Begriffe in ihrer Dinghaftigkeit und Identität vollständig zu verkörpern.« *Federico Fellini*

»Mit Sicherheit das umfassendste Werk, das je über mich geschrieben wurde.« *Georges Simenon*

Georges Simenon
im Diogenes Verlag

● **Romane**

Drei große Romane. Der Mörder / Der große Bob / Drei Zimmer in Manhattan. Deutsch von Linde Birk und Lothar Baier. detebe 21596

Brief an meinen Richter. Roman. Deutsch von Hansjürgen Wille und Barbara Klau detebe 20371

Der Schnee war schmutzig. Roman. Deutsch von Willi A. Koch. detebe 20372

Die grünen Fensterläden. Roman. Deutsch von Alfred Günther. detebe 20373

Im Falle eines Unfalls. Roman. Deutsch von Hansjürgen Wille und Barbara Klau. detebe 20374

Sonntag. Roman. Deutsch von Hansjürgen Wille und Barbara Klau. detebe 20375

Bellas Tod. Roman. Deutsch von Elisabeth Serelmann-Küchler. detebe 20376

Der Mann mit dem kleinen Hund. Roman. Deutsch von Stefanie Weiss. detebe 20377

Drei Zimmer in Manhattan. Roman. Deutsch von Linde Birk. detebe 20378

Die Großmutter. Roman. Deutsch von Linde Birk. detebe 20379

Der kleine Mann aus Archangelsk. Roman. Deutsch von Alfred Kuoni. detebe 20584

Der große Bob. Roman. Deutsch von Linde Birk. detebe 20585

Die Wahrheit über Bébé Donge. Roman. Deutsch von Renate Nickel. detebe 20586

Tropenkoller. Roman. Deutsch von Annerose Melter. detebe 20673

Ankunft Allerheiligen. Roman. Deutsch von Eugen Helmlé. detebe 20674

Der Präsident. Roman. Deutsch von Renate Nickel. detebe 20675

Der kleine Heilige. Roman. Deutsch von Trude Fein. detebe 20676

Der Outlaw. Roman. Deutsch von Liselotte Julius. detebe 20677

Die Glocken von Bicêtre. Roman. Neu übersetzt von Angela von Hagen. detebe 20678

Der Verdächtige. Roman. Deutsch von Eugen Helmlé. detebe 20679

Die Verlobung des Monsieur Hire. Roman. Deutsch von Linde Birk. detebe 20681

Der Mörder. Roman. Deutsch von Lothar Baier. detebe 20682

Die Zeugen. Roman. Deutsch von Anneliese Botond. detebe 20683

Die Komplizen. Roman. Deutsch von Stefanie Weiss. detebe 20684

Die Unbekannten im eigenen Haus. Roman. Deutsch von Gerda Scheffel. detebe 20685

Der Ausbrecher. Roman. Deutsch von Erika Tophoven-Schöningh. detebe 20686

Wellenschlag. Roman. Deutsch von Eugen Helmlé. detebe 20687

Der Mann aus London. Roman. Deutsch von Stefanie Weiss. detebe 20813

Die Überlebenden der Télémaque. Roman. Deutsch von Hainer Kober. detebe 20814

Der Mann, der den Zügen nachsah. Roman. Deutsch von Walter Schürenberg. detebe 20815

Zum Weißen Roß. Roman. Deutsch von Trude Fein. detebe 20986

Der Tod des Auguste Mature. Roman. Deutsch von Anneliese Botond detebe 20987

Die Fantome des Hutmachers. Roman Deutsch von Eugen Helmlé. detebe 21001

Die Witwe Couderc. Roman. Deutsch von Hanns Grössel. detebe 21002

Schlußlichter. Roman. Deutsch von Stefanie Weiss. detebe 21010

Die schwarze Kugel. Roman. Deutsch von Renate Nickel. detebe 21011

Die Brüder Rico. Roman. Deutsch von Angela von Hagen. detebe 21020

Antoine und Julie. Roman. Deutsch von Eugen Helmlé. detebe 21047

Betty. Roman. Deutsch von Raymond Regh. detebe 21057

Die Tür. Roman. Deutsch von Linde Birk detebe 21114

Der Neger. Roman. Deutsch von Linde Birk. detebe 21118

Das blaue Zimmer. Roman. Deutsch von Angela von Hagen. detebe 21121

Es gibt noch Haselnußsträucher. Roman Deutsch von Angela von Hagen. detebe 21192

Der Bürgermeister von Furnes. Roman Deutsch von Hanns Grössel. detebe 21209

Der Untermieter. Roman. Deutsch von Ralph Eue. detebe 21255

Das Testament Donadieu. Roman. Deutsch von Eugen Helmlé. detebe 21256

Die Leute gegenüber. Roman. Deutsch von Hans-Joachim Hartstein. detebe 21273

Die Katze. Roman. Deutsch von Angela von Hagen. detebe 21378

Weder ein noch aus. Roman. Deutsch von Elfriede Riegler. detebe 21304

Auf großer Fahrt. Roman. Deutsch von Angela von Hagen. detebe 21327

Der Bericht des Polizisten. Deutsch von Markus Jakob. detebe 21328

Die Zeit mit Anaïs. Roman. Deutsch von Ursula Vogel. detebe 21329

Der Passagier der Polarlys. Roman. Deutsch von Stefanie Weiss. detebe 21377

Die Schwarze von Panama. Roman. Deutsch von Ursula Vogel. detebe 21424

Das Gasthaus im Elsaß. Roman. Deutsch von Angela von Hagen. detebe 21425

Das Haus am Kanal. Roman. Deutsch von Ursula Vogel. detebe 21426

Der Zug. Roman. Deutsch von Trude Fein detebe 21480

Striptease. Roman. Deutsch von Angela von Hagen. detebe 21481

45° im Schatten. Roman. Deutsch von Angela von Hagen. detebe 21482

Die Eisentreppe. Roman. Deutsch von Angela von Hagen. detebe 21557

Das Fenster der Rouets. Roman. Deutsch von Stefanie Weiss. detebe 21558

Die bösen Schwestern von Concarneau Roman. Deutsch von Ingrid Altrichter detebe 21559

Der Sohn Cardinaud. Roman. Deutsch von Linde Birk. detebe 21598

Der Zug aus Venedig. Roman. Deutsch von Liselotte Julius. detebe 21617

Weißer Mann mit Brille. Roman. Deutsch von Ursula Vogel. detebe 21635

Der Bananentourist. Roman. Deutsch von Barbara Heller. detebe 21679

Monsieur La Souris. Roman. Deutsch von Renate Heimbucher-Bengs. detebe 21681

Der Teddybär. Roman. Deutsch von Ingrid Altrichter. detebe 21682

Die Marie vom Hafen. Roman. Deutsch von Ursula Vogel. detebe 21683

Der reiche Mann. Roman. Deutsch von Stefanie Weiss. detebe 21753

».. die da dürstet.« Roman. Deutsch von Irène Kuhn. detebe 21773

Vor Gericht. Roman. Deutsch von Linde Birk detebe 21786

Der Umzug. Roman. Deutsch von Barbara Heller. detebe 21797

Der fremde Vetter. Roman. Deutsch von Stefanie Weiss. detebe 21798

Das Begräbnis des Monsieur Bouvet. Roman. Deutsch von H.J. Solbrig. detebe 21799

Die schielende Marie. Roman. Deutsch von Eugen Helmlé. detebe 21800

Die Pitards. Roman. Deutsch von Ingrid Altrichter. detebe 21857

Das Gefängnis. Roman. Deutsch von Michael Mosblech. detebe 21858

Malétras zieht Bilanz. Roman. Deutsch von Irmgard Perfahl. detebe 21893

Das Haus am Quai Notre-Dame. Roman Deutsch von Eugen Helmlé. detebe 21894

Der Neue. Roman. Deutsch von Ingrid Altrichter. detebe 21895

Die Erbschleicher. Roman. Deutsch von Renate Heimbucher-Bengs. detebe 21938

Die Selbstmörder. Roman. Deutsch von Linde Birk. detebe 21939

Tante Jeanne. Roman. Deutsch von Inge Giese. detebe 21940

Der Rückfall. Roman. Deutsch von Ursula Vogel. detebe 21941

Am Maultierpaß. Roman. Deutsch von Michael Mosblech. detebe 21942

Der Glaskäfig. Deutsch von Stefanie Weiss detebe 22403

Das Schicksal der Malous. Roman. Deutsch von Günter Seib. detebe 22404

Der Uhrmacher von Everton. Roman Deutsch von Ursula Vogel. detebe 22405

Das zweite Leben. Roman. Deutsch von Ingrid Altrichter. detebe 22406

Der Erpresser. Roman. Deutsch von Linde Birk. detebe 22407

Die Flucht des Monsieur Monde. Roman Deutsch von Barbara Heller. detebe 22408

Der ältere Bruder. Roman. Deutsch von Ingrid Altrichter. detebe 22454

Doktor Bergelon. Roman. Deutsch von Günter Seib. detebe 22455

Die letzten Tage eines armen Mannes Roman. Deutsch von Michael Mosblech. detebe 22456

Sackgasse. Roman. Deutsch von Stefanie Weiss und Richard K. Flesch. detebe 22457

Die Flucht der Flamen. Roman. Deutsch von Barbara Heller. detebe 22458

Die verschwundene Tochter. Roman. Deutsch von Renate Heimbucher. detebe 22459

● Maigret-Romane und -Erzählungen

Weihnachten mit Maigret. Zwei Romane und eine Erzählung. Leinen

Der Goldene Gelbe 88. Einmalige Sonderausgabe. Enthält folgende Romane: Maigret amüsiert sich / Mein Freund Maigret / Maigret und die junge Tote. Deutsch von Renate Nickel, Annerose Melter und Raymond Regh detebe 21697

Maigrets erste Untersuchung. Roman Deutsch von Roswitha Plancherel detebe 20501

Maigret und Pietr der Lette. Roman. Deutsch von Wolfram Schäfer. detebe 20502

Maigret und die alte Dame. Roman. Deutsch von Renate Nickel. detebe 20503

Maigret und der Mann auf der Bank. Roman. Deutsch von Annerose Melter. detebe 20504

Maigret und der Minister. Roman. Deutsch von Annerose Melter. detebe 20505

Maigret und der hartnäckigste Gast der Welt
Sechs Fälle für Maigret. Deutsch von Linde
Birk und Ingrid Altrichter. detebe 21486
Maigret verliert eine Verehrerin. Roman
Deutsch von Ingrid Altrichter. detebe 21521
Maigret in Nöten. Roman. Deutsch von
Markus Jakob. detebe 21522
Maigret und sein Rivale. Roman. Deutsch von
Ingrid Altrichter. detebe 21523
Maigret und die schrecklichen Kinder
Roman. Deutsch von Paul Celan
detebe 21574
Maigret und sein Jugendfreund
Roman. Deutsch von Markus Jakob
detebe 21575
Maigret und sein Revolver. Roman. Deutsch
von Ingrid Altrichter. detebe 21576
Maigret auf Reisen. Roman. Deutsch von
Ingrid Altrichter. detebe 21593 *Maigret und die
braven Leute.* Roman
Deutsch von Ingrid Altrichter. detebe 21615
Maigret und der faule Dieb. Roman. Deutsch
von Stefanie Weiss. detebe 21629
Maigret und die verrückte Witwe. Roman
Deutsch von Michael Mosblech. detebe 21680
Maigret und sein Neffe. Roman. Deutsch von
Ingrid Altrichter. detebe 21684
Maigret und Stan der Killer. Vier Fälle für
Maigret. Deutsch von Inge Giese und Eva
Schönfeld. detebe 21741
Maigret und das Gespenst. Roman. Deutsch
von Barbara Heller. detebe 21760
Maigret in Kur. Roman. Deutsch von Irène
Kuhn. detebe 21770
Madame Maigrets Liebhaber. Vier Fälle für
Maigret. Deutsch von Ingrid Altrichter, Inge
Giese und Josef Winiger. detebe 21791
Maigret und der Clochard. Roman. Deutsch
von Josef Winiger. detebe 21801
Maigret und Monsieur Charles. Roman
Deutsch von Renate Heimbucher-Bengs
detebe 21802
Maigret und der Spitzel. Roman. Deutsch von
Inge Giese. detebe 21803
Maigret und der einsamste Mann der Welt
Roman. Deutsch von Ursula Vogel
detebe 21804
Maigret und der Messerstecher. Roman
Deutsch von Josef Winiger. detebe 21805
Maigret hat Skrupel. Roman. Deutsch von
Ingrid Altrichter. detebe 21806
Maigret in Künstlerkreisen. Roman. Deutsch
von Ursula Vogel. detebe 21871
Maigret und der Weinhändler. Roman
Deutsch von Hainer Kober. detebe 21872

● **Erzählungen**

Der kleine Doktor. Erzählungen. Deutsch
von Hansjürgen Wille und Barbara Klau
detebe 21025
Emil und sein Schiff. Erzählungen
Deutsch von Angela von Hagen. detebe 21318
Die schwanzlosen Schweinchen. Erzählungen
Deutsch von Linde Birk. detebe 21284
Exotische Novellen. Deutsch von Annerose
Melter. detebe 21285
Meistererzählungen. Deutsch von Wolfram
Schäfer u.a. detebe 21620
Die beiden Alten in Cherbourg. Erzählungen. Deutsch von Inge Giese und Reinhard
Tiffert. detebe 21943

● **Reportagen**

Die Pfeife Kleopatras. Reportagen aus aller
Welt. Deutsch von Guy Montag
detebe 21223
Zahltag in einer Bank. Reportagen aus Frankreich. Deutsch von Guy Montag
detebe 21224

● **Biographisches**

Intime Memoiren und Das Buch von Marie-Jo. Deutsch von Hans-Joachim Hartstein,
Claus Sprick, Guy Montag und Linde Birk
detebe 21216
Stammbaum. Pedigree. Autobiographischer
Roman. Deutsch von Hans-Joachim Hartstein. detebe 21217
Simenon auf der Couch. Fünf Ärzte verhören
den Autor sieben Stunden lang. Deutsch von
Irène Kuhn. detebe 21658

Außerdem liegen vor:
Stanley G. Eskin
Simenon. Eine Biographie. Mit zahlreichen
bisher unveröffentlichten Fotos, Lebenschronik, Bibliographie, ausführlicher Filmographie, Anmerkungen, Namen- und Werkregister. Aus dem Amerikanischen von Michael
Mosblech. Leinen
Über Simenon. Zeugnisse und Essays von
Patricia Highsmith bis Alfred Andersch. Mit
einem Interview, mit Chronik und Bibliographie. Herausgegeben von Claudia Schmölders und Christian Strich. detebe 20499
Das Simenon Lesebuch. Erzählungen, Reportagen, Erinnerungen. Herausgegeben von
Daniel Keel. detebe 20500

Werke berühmter
Simenon-Leser
im Diogenes Verlag

● **Alfred Andersch**
»...einmal wirklich leben«
Ein Tagebuch in Briefen an Hedwig Andersch
1943–1975. Herausgegeben von Winfried Stephan. Leinen

Gesammelte Erzählungen
Leinen

Die Romane
Vier Bände in Kassette: Sansibar oder der
letzte Grund / Die Rote / Efraim / Winterspelt. Leinen

Die Kirschen der Freiheit
Ein Bericht. detebe 20001

Sansibar oder der letzte Grund
Roman. detebe 20055

Hörspiele
detebe 20095

Geister und Leute
Zehn Geschichten. detebe 20158

Ein Liebhaber des Halbschattens
Drei Erzählungen. detebe 20159

Die Rote
Roman. Neue Fassung 1972. detebe 20160

Efraim
Roman. detebe 20285

Winterspelt
Roman. detebe 20397

*Mein Verschwinden in
Providence*
Neun Erzählungen. detebe 20591

Aus einem römischen Winter
Reisebilder. detebe 20592

Die Blindheit des Kunstwerks
Literarische Essays und Aufsätze
detebe 20593

*Ein neuer Scheiterhaufen
für alte Ketzer*
Kritiken und Rezensionen. detebe 20594

Neue Hörspiele
detebe 20595

*Öffentlicher Brief an einen
sowjetischen Schriftsteller, das
Überholte betreffend*
Reportagen und Aufsätze. detebe 20398

Einige Zeichnungen
Graphische Thesen am Beispiel einer Künstlerin. Mit 25 Zeichnungen von Gisela Andersch
und einem Nachwort von Wieland Schmied
detebe 20399

Der Vater eines Mörders
Eine Schulgeschichte. Mit einem Nachwort
detebe 20498

Flucht in Etrurien
Zwei Erzählungen und ein Bericht
detebe 21037

Wanderungen im Norden
Ein Reisebericht mit 32 Farbtafeln nach Aufnahmen von Gisela Andersch. detebe 21164

*Hohe Breitengrade oder
Nachrichten von der Grenze*
Ein Reisebericht mit 48 Farbtafeln nach Aufnahmen von Gisela Andersch. detebe 21165

empört euch der himmel ist blau
Gedichte und Nachdichtungen 1946–1977
detebe 21838

Erinnerte Gestalten
Frühe Erzählungen. detebe 21902

Das Alfred Andersch Lesebuch
Herausgegeben von Gerd Haffmans
Mit Lebensdaten und einer Bibliographie
detebe 20695

● **Marcel Aymé**
Meistererzählungen
Aus dem Französischen von Hildegard Fuchs
und Gertrud Grohmann. detebe 21704

Heinrich Böll

Worte töten, Worte heilen
Gedanken über Lebenslust, Sittenwächter und Lufthändler. Ausgewählt und zusammengestellt von Daniel Keel. detebe 21814

Agatha Christie

Villa Nachtigall
Sieben Kriminalgeschichten. Auswahl von Peter Naujack. Aus dem Englischen von Günter Eichel und Peter Naujack. detebe 20825

Der Fall der enttäuschten Hausfrau
Sechs Kriminalgeschichten. Auswahl und Einleitung von Peter Naujack. Deutsch von Günter Eichel und Peter Naujack. detebe 20826

William Faulkner

Die Unbesiegten
Roman. Aus dem Amerikanischen von Erich Franzen. detebe 20075

Sartoris
Roman. Deutsch von Hermann Stresau detebe 20076

Als ich im Sterben lag
Roman. Deutsch von Albert Hess und Peter Schünemann. detebe 20077

Schall und Wahn
Roman. Revidierte Übersetzung von Elisabeth Kaiser und Helmut M. Braem detebe 20096

Absalom, Absalom!
Roman. Deutsch von Hermann Stresau detebe 20148

Go down, Moses
Chronik einer Familie. Deutsch von Hermann Stresau und Elisabeth Schnack. detebe 20149

Griff in den Staub
Roman. Deutsch von Harry Kahn detebe 20151

Soldatenlohn
Roman. Deutsch von Susanna Rademacher detebe 20511

Moskitos
Roman. Deutsch von Richard K. Flesch detebe 20512

Wendemarke
Roman. Revidierte Übersetzung von Georg Goyert. detebe 20513

Die Freistatt
Roman. Deutsch von Hans Wollschläger, Vorwort von André Malraux. detebe 20802

Licht im August
Roman. Deutsch von Franz Fein detebe 20803

Wilde Palmen und Der Strom
Doppelroman. Deutsch von Helmut M. Braem und Elisabeth Kaiser. detebe 20988

Die Spitzbuben
Roman. Deutsch von Elisabeth Schnack detebe 20989

Eine Legende
Roman. Deutsch von Kurt Heinrich Hansen detebe 20990

Requiem für eine Nonne
Roman in Szenen. Deutsch von Robert Schnorr. detebe 20991

Das Dorf
Roman. Deutsch von Helmut M. Braem und Elisabeth Kaiser. detebe 20992

Die Stadt
Roman. Deutsch von Elisabeth Schnack detebe 20993

Das Haus
Roman. Deutsch von Elisabeth Schnack detebe 20994

Brandstifter
Erzählungen. Deutsch von Elisabeth Schnack detebe 20040

Eine Rose für Emily
Erzählungen. Deutsch von Elisabeth Schnack detebe 20041

Rotes Laub
Erzählungen. Deutsch von Elisabeth Schnack detebe 20042

Sieg im Gebirge
Erzählungen. Deutsch von Elisabeth Schnack detebe 20043

Schwarze Musik
Erzählungen. Deutsch von Elisabeth Schnack detebe 20044